スライム倒して300年、
知らないうちにレベルMAXになってました
17
Morita Kisetsu
森田季節
illust. 紅緒
She continued destroy slime for 300 years

ペコリストの
皆さ〜ん！
今日は楽しんで
いってくださいね♪

ブルードラゴンの娘
フラットルテ
女神
メガーメガ

秘書官の
リヴァイアサン（妹）
ヴァーニア
秘書官の
リヴァイアサン（姉）
ファートラ

毎日こつこつ、
継続は力なり
魔法僧正
キュリト・アビス、
参上だよ♪

ちょっと
口が勝手に…

Contents

Story by Morita Kisetsu Illustration by Benio

She continued destroy slime for 300 years

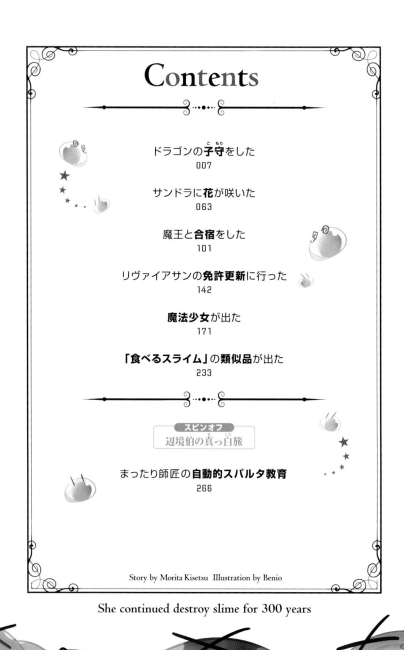

スライム倒して300年、
知らないうちにレベルMAXになってました17

Morita Kisetsu
森田季節
illust.紅緒

アズサ・アイザワ（相沢梓）

主人公。一般的に「高原の魔女」の名前で知られている。
17歳の見た目の不老不死の魔女として転生してきた女の子（？）。
いつの間にか世界最強になっていて大変な目に遭いもしたが、
そのおかげで家族が出来てご満悦《まんえつ》。

継続はパワーなり。
継続できることとしかしません！

義理のお母様、
世界は真っ白であるべきです！

シローナ

ファルファ&シャルシャの後に生まれたスライムの精霊。
警戒心が強く、アズサを義理の母親扱いしてあまり懐かない。
既に一流の冒険者として活躍しているが、白色を偏愛するという
奇癖を持つ。本書掲載の外伝「辺境伯の真っ白旅」の主人公。

ファルファ&シャルシャ

スライムの魂が集まって生まれた精霊の姉妹。
姉のファルファは自分の気持ちに
正直で屈託《くったく》がない子。
妹のシャルシャは心づかいが細やかで
気配りが出来る子。
二人ともママであるアズサが大好き。

ママー、ママー！　ママ大好き！
……体は重くとも、心は軽くあるべき

アズサ様、今日も誠心誠意、精進いたします！
フラットルテはライカより頑張るのだ！

ライカ&フラットルテ

高原の家に住むレッドドラゴン&
ブルードラゴンの女の子。
ライカはアズサの弟子で頑張り屋の良い子。
フラットルテはアズサに服従している元気娘。
同じドラゴン族なので何かと張り合っている。

ハルカラ

エルフの娘で、アズサの弟子。
キノコの知識を活かし会社を経営する
立派な社長さんなのだが、高原の家では、
ところ構わず〝やらかし〟てしまう
一家の残念担当に過ぎない。

さぁ、今日は
何を食べましょうかね♪

ベルゼブブ

ハエの王と呼ばれる上級魔族で、魔族の農相。
ファルファとシャルシャを
まるで姪っ子かのように愛でており、
魔界と高原の家を頻繁に行き来している。
アズサの頼れる「お姉ちゃん」。

わらわの名はベルゼブブ！
魔族の国の農相じゃ!!

アタシ、姐《ねえ》さんに
ずっとついていきます！

ロザリー

高原の家に住む幽霊少女。
幽霊である自分を遠ざけず、
手を差し伸べてくれたアズサに心酔している。
壁を抜けられるが人は触れない。
人に憑依する事も可能。

サンドラ

マンドラゴラの女の子。三百年育った末に
意志を持ち動くようになった存在。
れっきとした植物で、高原の家の
家庭菜園に住んでいる。意地っ張りで
強がっている事も多いが、寂しがりな一面も。

私は庭に生えてる
だけだからね！ がお～！

ペコラ（プロヴァト・ペコラ・アリエース）

魔族の国の王。その権力や影響力を使って
アズサや周りの配下を振り回すのが
大好きな、小悪魔的気質を備えた女の子。
実は「自分より強い者に従属したい」という
マゾ気質を備えており、アズサに心酔している。

クールな雰囲気の
魔女のお姉様、最高ですぅ

すいません。妹がいいかげんな性格で……
あ〜、上司のお金で温泉行きたいな〜

ファートラ&ヴァーニア

ベルゼブブの秘書を務めるリヴァイアサンの姉妹。
巨大な竜の姿に変身でき、アズサたちの
魔族の国への送迎やお世話を担ったりも。
姉のファートラはしっかり者で有能。
妹のヴァーニアはドジっ子だが料理が得意。

メガーメガ神

アズサをこの世界に転生させた張本人。
この世界を体現するような、
朗らかで人当たりがよく、
そしていい加減な性格の女神様。
女性に甘く、ついつい甘い裁定をしてしまう。

アズサさんのお力を借りたいな〜と

デキさん（デキアリトスデ）

この世界に古くから存在する旧神。
奔放な性格に、怪しい口調。
姿形を自在に変えることができる。
彼女の気まぐれによる世界の崩壊を恐れた
他の神たちによって地底深くに封じられていた。
封印が解かれアズサに負けてからは、ニンタンの下で
地上生活を満喫中（姿は混乱の元なので固定した）。

やっぱりニンタン
まだ怒ってマース！

高原の魔女様、
今日もいいお天気ですね

ナタリー

フラタ村にあるギルドの受付嬢。
胸の大きさには自信あり。
少しミーハーな性格で、
魔法配信や占いなどには興味津々。
仕事の合間にこっそり婚活中（求：イケメン）。

マースラ

魔術を極め、変化の魔法を会得した
魔法使いスライム。温厚な性格で、魔法研究のため
人の寄りつかない山の中に工房を構えている。
元は名前がなかったが、アズサが「マースラ」と
名付けてくれたので、以降そう名乗るようになった。

こんにちは。
ワタシ、実はスライムなんです

ドラゴンの子守《こもり》をした

She continued destroy slime for 300 years

フラットルテがブルードラゴンの集落に里帰りすると言い出した。

里帰りすると言い出したというと、なんか突然言い出したみたいだけど、本当に朝、突然「今日、里帰りしようと思います」と言ったのだ。

「きょ、今日？」

「はい、ご主人様。今日です」

なので、それは私も行ったほうがいいなと判断した。

前に私は行ったことがあるし、その時の雰囲気からして大丈夫だとは思うのだけど、ブルードラゴンのルールの中ではフラットルテは主人である私に仕《つか》えているということになっているのだ。

そして単独行動も厳密にはダメなことになっている。

まあ、私が命じているという形をとっていれば、買い物だろうと、散歩だろうと、フラットルテは一人で行っているので問題ないと思うけど、ほかのブルードラゴンがたくさんいる場所に向かうならトラブル回避のために私も同行するほうがいい。

早速、フラットルテはお土産《みやげ》に何かないかダイニングや台所を探していた。

「いやいや……そのへんにあるもので済まそうとするのはどうなの……？　ちゃんとしたものを買わないとかえって失礼だよ……」

「もう少し、計画性というものを持って生活してください。出発を明日にすれば買い物をしてお土産だって用意できるじゃないですか」

ライカがあきれていた。ほかのみんなも同じような感想だったと思う。

「計画性も何も、今、思いついたんだから、計画しようがないのだ。思い立ったらすぐに行動するのがフラットルテの信条なのだ！」

ううむ……。実行力があるとも言えるし、ライカが言うように計画性がないとも表現できる。

きっとどっちも正解なんだろう。

と、その時、私もいいことを思いついた。

「そういや、前回、ブルードラゴンの集落に行った時はみんな揃《そろ》ってじゃなかったね」

あの時はライカはいたけど、ほかは私しかいなかった。

フラットルテが私に負けて、高原の家で暮らすことになったというのもあり、私が一緒に行くことでフラットルテがひ弱なわけじゃないと証明する意味合いがあったのだ。

ブルードラゴンはすぐに力比べをするぐらいだから、弱い奴《やつ》と思われるのが恥《はじ》なのだ。

結果、私が何人ものブルードラゴンと力比べをさせられる羽目になったけど……私が全勝してフラットルテが恥をかくことはなかった。

「ご主人様の言うとおりです。じゃあ、今度は全員で来ますか？」

そう、まさにそれが狙《ねら》いだったのだ。

「ブルードラゴンって遠慮を一切《いっさい》しない人たちだから、家族で行っても歓迎されるでしょ。一回、行ってみよっか」

ハルカラも今日は工場の出勤日じゃないのは把握《はあく》している。

――そのはずだったのだが。

「あっ、お師匠《ししょう》様、どうも工場のチェックをしたくなってきたので……今日は出社しようかなあと……」

青い顔をしてハルカラに言われた。

「ハルカラさん、ウソついてるね」

ファルファがあっさり見破《みやぶ》った。

うん、行くとろくなことにならないから行きたくないって空気が出ている。

「魂《たましい》の色がウソをついたやましさを示す感じになってますね」

ロザリーが完全に喝破《かっぱ》した。というか、そんなことまでわかっちゃうの、怖いな！

「だって、ブルードラゴンだらけのところなんて、わたしが行っても百害あって一利なしですよ……。

力比べを申し込まれたらどうするんですか！　死んじゃいますよ！」

「ハルカラに力比べを申し込む間抜けはさすがにいないのだ。気にせず行くぞ」

「フラットルテもああ言ってるし、別に背後からいきなり攻撃されたりするほど恐ろしい場所じゃないから大丈夫だよ。力比べだって申し込みの過程ぐらいはあるし」

「お師匠様もそう言うなら、わかりました……」

どうにかハルカラの了承を取り付けることにも成功した。

あと、行きたくないと言い出すとしたら……サンドラだな。

なにせ植物にとったら、氷に閉ざされたような世界は生存にまったく適さない場所なのだ。断固拒否されるかもしれない。


もっとも、それは杞憂《きゆう》だった。

シャルシャがサンドラを連れて外から入ってきた。

そのサンドラは分厚い毛皮のコートを羽織《はお》っていた。

「一人で残ってるより一緒に行くほうが安全だと言われたわ。それはわからなくもないわね。この世界にまだマンドラゴラ狙いの魔女がいるかもだし」

おお、シャルシャ、上手に説得したね。

「けど、これだけ大人数で押しかけるとなると、余計にお土産がほしいかな。途中でどこかの町にでも寄っていくか」

ファルファが元気よく「名案があるよ」と言った。

「お土産がないなら作ればいいんだよ！」

「贈答用サイズのものも用意している」

さらに、シャルシャのほうが、入れ物を出してきた。

ああ、そうか、これは――


「我が家には『食べるスライム』があるのか！」

お土産用に「食べるスライム」を作って、私たちはブルードラゴンの集落へと出発した。

◇

久しぶりのブルードラゴンの集落は相変わらず、よく冷えていた。

氷や雪がどっちを向いても目に入る。空はそれなりに晴れていて、白と青だけの世界だ。

「みんな、しっかり着込んできたと思うけど、体を冷やさないようにね」

フラットルテと幽霊のロザリー以外は、もこもこの服で防寒している。

「独特の景色。これは訪れる価値がある」

シャルシャはこくこくとうなずいている。社会見学としてはいい場所じゃないかな。

「年中、気温が低いんだったらいろんな実験ができそうだね。えいっ！」

ファルファは雪を集めて、シャルシャにぶつけていた。

すぐにシャルシャも報復で雪玉を投げて、ちょっとした雪合戦になっている。

うむ、雪国もたまにはいいものだ。

一方でハルカラは変なプラカードみたいなのを持って歩いていた。

プラカードには「力比べはやってません」と書いてある。

そこまで慎重にならなくてもいいんじゃないかな……。ハルカラが注意深くなったこと自体はいいことかもしれないけど。

ロザリーもサンドラもきょろきょろ集落の風景に目をやっているし、観光する場所としてはいいところだと思う。

ただ、ライカだけがどこか腑《ふ》に落ちないという顔をしていた。

「ライカ、どうかした？」

「いえ、やはりいつ頃《ごろ》帰るつもりだとか事前に一報ぐらい入れたほうがよいのではと思いまして……。親元に戻るだけとはいえ、向こうの都合もあるでしょうし……」

私はライカの頭をぽんぽん叩《たた》いた。

「ライカは気配りがよくできるけど、それは気をつかいすぎかな」

「そ、そうでしょうか……？」

ライカは少し照れ気味《ぎみ》だ。

「だって、実家に帰るんだよ。歓迎してくれるって。もちろん、いつ頃に戻るか計画してたのなら、報告しておくべきだけど、帰ってきちゃダメってことはないよ」

フラットルテと両親の仲が険悪なんてことはないのだし、家族だんらんの時間が過ごせるはずだ。私たちは邪魔にならない程度に過ごさせてもらおう。

「それにさ、ブルードラゴンがそんなこと、気にすると本当に思う……？」

「……前回の訪問の時を思い返しましたが、誰《だれ》一人として、突然で迷惑だなんて言わないでしょうね」

ライカも得心がいったらしい。

ブルードラゴンはよく言えば度量が広いのだ。

「まっ、家族の数だけ、家族の形があるってことだよ。フラットルテの家族のあり方はライカの家族の形とは確実に違うだろうけど、どっちが正解で、どっちが間違いってことじゃないの」

ライカも言葉では理解しているだろう。

一方で、それでも連絡もなしに帰省することに心理的な抵抗が残っていることもわかる。

こういうのは、少しずつ落としどころを見つけていけばいいのだ。

と、先頭を行くフラットルテの足が止まった。

目の前にフラットルテの実家がある。

「ここがフラットルテ様の家なのだ！」

この集落ではごく一般的なおうちだ。寒い地方で暮らしてる人間の家と言われても違和感がない。

ブルードラゴンは集落の中でも人の姿をとって生活しているから、そのおうちもドラゴンサイズの無茶苦茶広いものというようなことはないのだ。

フラットルテが入ると、すぐに「おお、フラットルテではないか！」というパパらしき声がした。

そのあと、ママらしき声も聞こえてきて、足音がこっちのほうに近づいてくる。

私たちのところに現れたのはフラットルテのパパのアルメシタンさん、それとママのカインレスクさんだ。

「親父《おやじ》もおかんも久しぶりだな。ふらっと帰ってきてやったのだ！」

「あらあら。後ろにはアズサさんたちもいらっしゃるじゃない。じゃあ、せっかくだし力比べでも――」

「それは間に合ってます」

隙《すき》あらば力比べに持っていこうとするので、私は断った。

会話をするとすぐに戦闘に直結するの、なんかゲームっぽい感覚だ……。

そのあと、私たち家族をフラットルテの両親に紹介した。

こういうあいさつが意外と大事なのだ。ブルードラゴンの場合はあまり礼儀みたいなのは気にしないかもだけど、かといって無礼でいいということにもならないしね。

「食べるスライム」をお土産として渡したら、早速お茶請《う》けにされて、お茶と一緒に出てきた。

お土産のお菓子《かし》をすぐに相手にお茶菓子として出す――日本の風習で言うところの「お持たせ」だ。ただ、そういう風習がここにもあるのか、フラットルテの両親が何も考えてないのかは不明。

「そうか。では帰省だったわけか。別に力比べのために来たわけではないんだな。がははは」

「そうだぞ、親父。別に力比べをしてもいいけどな」

あっ、力比べはとくにいらないです。

たしかに少しでも選択を誤《あやま》ると、力比べになる危険がある。私は構わないけど、ハルカラあたりは緊迫感がある場所かもな。

会話は基本的にフラットルテのパパのほうがやっている。

ママのほうはちょくちょく席を立っては、またすぐに戻ってくる。

何だろう、料理の準備でも並行してやってるのかな？

こういうのはライカがよく気が利《き》く。

「あの、フラットルテのお母様、我たちは、お料理はほかの場所で食べるつもりですので、そういうことでしたら大丈夫ですよ……？　我たちは人数が多いですし」

そう、前回の里帰りと違って、ごはんを食べる人数がずっと増えている。

もてなしができないと恥だと考えるような文化だと、これは大変だ。もっとも、そういう文化だとしたら、辞退しようとしても聞いてもらえないかもだけど……。

「そういうのじゃないわよ。もう、起きてたらお菓子を持っていってあげなきゃってチェックしに行ってるの」

起きてたらということは、ほかにも誰《だれ》かいるらしい。

「ねえ、フラットルテ、あなた、弟妹《きょうだい》がいたりするの？」

前に里帰りした時も、ここに暮らしてたのは両親だけだったはずだけど。

「そんなのはいないのだ。いくらブルードラゴンでも、弟や妹を知らないままってことはありえないのだ。ペットでも飼いだしたんじゃないですかね」

それもそうだ。となれば、ペット説を信じるしかないか。

こっちから紹介しろと言うのも変だし、先方が話す必要性を感じてないなら、このままスルーするしかない。

犬でも飼ってるのかな。私の家だって最近ミミちゃんというミミックのペットを飼いだしたわけだし、少しもおかしなことはない。

それに眠っているようだから、連れてこられないだろう。紹介のためだけにフラットルテのママが起こすということになると、私たちのほうが恐縮する。

今は私たち家族の話をするフェーズなので、そっちをしっかりとすることにしよう。

血の気が多そうなブルードラゴン夫婦にも、私の娘たちはウケがよかった。

「ほほう。そんなに勉強できるのか～」

そうですよ。自慢の娘なんです。

「勉強の分野でも、大会みたいなのあるんだろ？　しっかり勉強して、どんどん勝ち進めよ」

どこかズレている！

その分野に興味がない人がする応援が、何か的外れになっちゃうやつ！

イラストレーターの人に「ゴッホを目指せよ」と言ったり、小説家にすぐ「芥川賞《あくたがわ》目指せよ」とか言う人みたいなものだ。

いや、ブルードラゴンの場合は知ってる知らないは関係なくて、勝ち負けにこだわってるだけか……。

「勉強っていうのは、勝ち負けのためにすることじゃないんだけど～、たくさんの人に認められたらうれしいよ！」

ファルファが優等生な回答をした。なにげに社会性がある。

すると、今度はフラットルテのパパのほうが席を立って、何かがいる部屋を見に行った。

それからしばらくして、「おー、起きてる、起きてる」という声が聞こえてきた。

やっぱりペットであるようだ。


「おっ、お前も来るか。よっしゃ。じゃあ、連れていってやるぜ」

どうやら、ペットもこっちに来るらしい。

ブルードラゴンってどんなペットを飼うんだろう。

案外、モルモットみたいな小動物だったりして……。

パパは五十センチぐらいのトカゲを抱えてやってきた。

「せっかくだし、こいつにも『食べるスライム』食わせてやろう。育ち盛りだから食うだろ」

毒ではないと思うけど、トカゲにあげていいのかな……。

「おお、見事なトカゲ。気品すら感じる」

「立派なトカゲさんだねー！」

「草食じゃなさそうだから、心配いらないわね」

娘たちも三者三様の反応をした。やはりペットは子供に好印象らしい。

「元気そうなトカゲさんだね～。みんな、よかったね～」

「ご主人様、あれはトカゲではないのだ」

「そうです。こほん……アズサ様、トカゲと言うのはやめてもらえますか？」

あれ、フラットルテとライカの二人の反応が冷めている。

「ご主人様、あれはブルードラゴンの子供なのだ。トカゲなんて弱い奴ではないのだ」

そういうことか！

たしかにここはブルードラゴンの集落だ。まだ幼いブルードラゴンがいてもおかしくない。

「そ、それは失礼しました……。ドラゴンなんだね……」

それにしても、小ぶりのドラゴンはほぼトカゲだな。ああ、よく見たら小さな翼みたいなのが生えているから、これで見分けるのか。

「近所で生まれた子供でね。その家がしばらく放浪《ほうろう》の旅に出るから預かってくれって言われたのよ」

さらっとフラットルテママが言った。

「急用だとか、一泊二日の旅行だとかならわかりますけど、放浪の旅で子供を預けちゃうんだ……」

やっぱりブルードラゴン、私たちの価値観とは何かが違う。

「いや～、しかし、よかったぜ」

うんうんと今度はパパのほうがうなずいている。

「預かりはしたものの、夫婦揃ってどこかで力比べでもしてきたいなと思ってたところなんだ。これでケンカっ早い奴が多そうな路地裏《ろじうら》を探して、ストリートファイトをしに行けるぜ」

え？　この人たち、何を言ってるの？

「じゃあ、フラットルテ、二、三日この子の面倒を見てあげてくれる？　食べ物はなんかあげてればいいわ。寝たい時に勝手に寝ると思うし～」

ま、まさか……。

里帰りした娘にほかの家から預かってるお子さんを預けようとしている！

そんな帰省ってアリ⁉　あまりにもルール無用だよ……。

「いや……お二人とも、フラットルテが久しぶりに帰省したわけなんで、すぐに旅に出るというのは……」

雲行きがおかしいので、私も止めに入ったほうがいいな。

「そっか。親父とおふくろは出かけるんだな。最近は北のほうが治安がよくなってつまらないから、南に行ったほうがいいぞ。酒場の裏なんかだとゴロツキが多いからちょうどいいのだ」

フラットルテがアドバイスしちゃってどうする！

「あのさ、フラットルテ、これでいいの？　本当にいいの？」

「もう顔は見られたし、問題ないですよ。戦いたくなったら戦いに行くのはブルードラゴンなら誰だってやってることですし」

私たちより戦うことの重要性が百倍は高いな。

「姐《ねえ》さん、フラットルテの姉貴がご両親が出かけることを承諾《しょうだく》しちゃうんだったら、これはどうしようもないですよ」

ロザリーに諭《さと》された。それもそうなんだよなあ。これがブルードラゴンの中での常識だとすれば、部外者が自分たちの常識とは違うと文句《もんく》を言っても仕方ないのだ。

だが、あっさり引き下がれない問題もある。

「フラットルテ、あなた、子育てなんてしたことないよね?」

「ないです」

即答された。

フラットルテが高原の家でこの子供ドラゴンの面倒を見るのか、この実家で面倒を見るのかはわからないが、どっちにしろフラットルテ一人には任《まか》せられない。

誤ってケガをさせちゃいましたでは済まない。

ブルードラゴンの場合、ケガぐらいだったら謝ったらあっさり許しそうな気もするけど……命を預かってるわけだから、油断は禁物だ。

これは私たち家族全体に課された問題も同じことなのだ。

「フラットルテ、ねえ、この子の面倒、どこで見るの?」

「ここで見るしかないのだ。でないと、親父とおふくろがいつ帰ってきたかがわからないし、この子供の親が引き取りに来た時にこの家が留守だと相手も困るのだ」

それはそうか。あと、ブルードラゴンの集落であるフラットルテの家と、高原の家とでは気候がずいぶん違う。高原の家に子供を連れていって体調を崩すとよくない。

「わかった。じゃあ、私たち家族も数日、ここでこの子の面倒を見よう。そういうことにしよう！」

家族全員なら、対処もできるはず！

「いちいちそこまでしなくても、アタシだけでも数日預かるぐらいできますけどね」

フラットルテはおおげさだなという顔をしてるが、こういのは最悪の場合を考えて行動しないといけないのだ。

「なあ、お前、フラットルテ様だけでも問題ないよな？」

パパの腕の中の子供ドラゴンにフラットルテが尋ねた。

子供ドラゴンがうなずいた。

そっちもうなずくんかい！

「ていうか、その子、何歳ぐらいなの？」

ドラゴンの姿だと、見た目から年齢を判断できない。

「三十代なかばだと思うのだ」

「ああ、三十代なかばか～。そろそろ、体力が落ちてきたなと実感する――ってことにはならないな……」

私たち全員、長生きだったり、すでに死んでいたりしていた。

ドラゴンにとっての三十代なかばって、一般の人間にとって何歳ぐらいなんだろう。

ずっとドラゴンの姿をしているところからして、かなり幼いとは思うけど。人間の子供で言うと、三歳ぐらい？　何もしゃべらないから、もっと幼いのかな。

「じゃあ、行ってくるぜ。二、三日で戻る。心配すんな。結局半年以上も旅を続けてたなんてことにはならないからよ」

当たり前のことなんだけど、ブルードラゴンだと本当に一年帰ってこなかったりするので、こう言ってもらえるのは大切だ。

もう、この両親は外に出ていく気満々で、大きいカバンを用意している。

身軽すぎるのも問題だな……。

でも、フラットルテの両親が出ていく前に、まだ聞かなきゃいけないことが残っている。

一般的なブルードラゴンの子供の性質ならフラットルテに聞けばいいけど、預かった両親から聞くしかないこともある。

「あの、このお子さんの名前は何ですか？」

そう、まだ名前すらわからないままなのだ。

このままじゃ、名前で呼びかけることすらできない。

「名前か～。何だったっけな？」

「そういえば、聞かないまま預かったわね」

いいかげんな奴しかいない！

せめて、預ける側は名前を教えてあげて！　そのあたりはちゃんとしようよ！　ペットを預かる時でも名前ぐらいは聞くって！

そのまま二人はこっちに手を振ると、出ていってしまった。

夫婦で旅行するわけだから、夫婦仲がいいとも言えるけど、もはやそういう次元でもないよね。

明日、格闘観の違いで離婚しましたと言われても何も驚かんわ。

◇

さてと、私たちは子供ドラゴンの子育てをすることになってしまった。

「決まってしまったものはしょうがない。まずは夕飯をどうするかだな。この家の台所で作るしかないか」

フラットルテ家も家の中は案外まともで、調味料も食器もあった。こんな大人数が暮らしていたわけじゃないから、食料品の買い出しは必要だろうけど、それをやればどうにかなるか。

「買い物は我が行ってきます。あと、早目に集落で買い物をしないとお店が閉まりそうですし」

ライカが申し出てくれた。ありがたい。

「たしかに……。ブルードラゴンの労働時間ってかなり短いはずだからね」

ライカの場合、空を飛んで離れたところにも買い物に行けるけど、それだと往復の時間がかかるわけで、早目に行動するに越したことはない。

「お師匠様、わたし、明日は出勤日です……」

ハルカラがそっと手を挙《あ》げた。ああ、そうか。勤め人もいるんだよね。

「ハルカラさんについては、こうしましょう。明日、我がいつもより早く起床してハルカラさんを工場まで連れていこうかと思います。ハルカラさんは数日、工場のあるナスクーテの町の宿にでも泊まっていただくということでいかがでしょうか？」

「はい。そういうことでしたら、わたしは大丈夫です。ライカさんも出勤の時と帰宅の時の二往復はここからじゃ遠くてできないですしね」

ブルードラゴンは私と同じ州に住んでいたレッドドラゴンの邪魔に何度も来てたぐらいだから、この集落も空さえ飛べば高原の家周辺と行き来できる距離にある。

でも、二往復は大変だ。

駅前まで車を出すという感覚だったものが、一気に新幹線通勤みたいなものになる。

「ハルカラにもご迷惑かけるけど、そういう変則的な形でお願い」

「いえいえ。ナスクーテの町にはいろんな飲食店もありますし、知らない店の開拓でもやりますよ。ふっふっふっふ」

ハルカラの問題はこれで解決だな。

あとの家族は数日の間、ここで暮らすということでいいか。

ちなみに当人の子供ドラゴンはどうしてるかというと――

「おお、食べた、食べたのだ。食欲はあるみたいだな」

フラットルテがあげた「食べるスライム」をむしゃむしゃ食べていた。

食欲がないよりは、あるほうがよっぽどいいか……。


その日の食事は私とフラットルテで作った。

フラットルテは料理の監修役も兼ねている。

「ねえ、フラットルテが子供時代に食べてた料理ってどんなの？」

ブルードラゴンが子供時代に食べていたものはフラットルテしか知らないのだ。

「そんな変わったものは食べてないですよ」

なかなかフラットルテからブルードラゴンの独自性を聞き出せないな。

「ほら、アタシも何でも食べてるじゃないですか。大半のドラゴンは好き嫌いはしないのだ。野菜よりは肉のほうが好きだけど、野菜だって食べるのだ」

「それはそうかもしれないけど、今回の相手はお子様なわけだし。せめて、ブルードラゴンの子供が好きそうなもののほうがいいかなって」

野菜が多い料理だと、まったく食べなかったりするおそれもある。それだと、体に悪い。

「う～ん。人間の子供が好きそうなものを作ればいいですよ。ブルードラゴンの土地は食材を作れるような場所でもないし、独自の料理もあんまりないはずなのだ」

「そういや、そうだな……」

フラットルテだって何度も高原の家の台所に立っているはずだが、私が知らない料理を作っていた記憶はない。それはライカも同じで、レッドドラゴンの郷土料理みたいなのを作っているのを見た記憶がない。

ドラゴンの食生活は量のほうは特徴的だけど、料理は割と普通だということか。

あるいは、レッドドラゴンの場合は高原の家と同じ州に住んでいるわけだし、地域的に同じものを食べているってことかな。

とりあえず子供が好きそうだからということで、ハンバーグ（この世界の料理名は手ごね焼き）を作ることにした。ハンバーグなら、サイズを調節したりすることで、大食いでも小食でも対応できる。

あとはライカが多目にパンを買ってきているので、これを食べてもらえば、足りないということはないだろう。

野菜中心の料理はうかつに作ると、まったく食べない危険があるからな……。ポタージュスープにするか……。

エルフとかは別かもしれないが、たいていの種族は野菜よりは肉のほうが好きだと思う。栄養価を考えるとまんべんなく食べてほしいけど、まずは肉ばっかりの料理でもいいから食べてもらえないとさらに困る。

料理中だけど、ちょっとどんな様子でいるか見てこよう。

私たちがフラットルテの両親としゃべっていた部屋に行くと、部屋の中をぱたぱたと子供ドラゴンが飛んで巡回していた。

「すごくゆっくり飛ぶんだね～♪」

「幼少期のドラゴンを見るのは貴重。なかなかない体験」

双子《ふたご》の二人は子供ドラゴンを楽しそうに観察していた。

今のところ、トラブルはないようだ。

子供同士、意気投合する部分もあるのかもしれない。ファルファとシャルシャからすると、ペットの延長線上で接しているような気もしなくもないけど。

「あれ、サンドラはどうしてるの？」

「ママ、サンドラさんはお外にいると思うよ～」

ファルファに言われて、外に出るとサンドラはスコップを持って、地面を掘ろうとしていた。

「サンドラ、あなた、何をやってるの……？」

まさか野菜を栽培するところからはじめる気か？

「アズサ、料理は終わったの？　じゃあ、手伝って。地面が凍結してて、全然土に入れないのよ。なかなか底意地の悪い土ね」

ブルードラゴンの集落はサンドラの生活にはあまり適してないみたいだな……。

高原の家って、意外と誰でも対応できる優れた住環境だったのかもしれない。

ちなみにサンドラの横にはロザリーもいた。

やけにつまんなそうな顔をしているのが、こちらも気がかりだ。

「寒いことで幽霊に問題があるとは思えないけど、何かあった……？」

「姐さん、ここって悪霊がちっともいないんです。人がそれなりに住んでれば、捜せば後悔《こうかい》してる奴の一人や二人いるはずなのに、全然いねえ！」

えっ？　寒いと悪霊も生まれづらくなるものなのか？

「きっと、ブルードラゴンが勝手気ままに生きる性格だから、地縛霊《じばくれい》みたいなのにならないんですよ！　好きなように生きて、満足して死んでいってるんです！」

「言われてみれば、死後も恨《うら》みを抱いたりなんてしなそうではあるな」

「あ〜、話し相手でもいるかなと思ったけどちっともいないし、子供ドラゴンでも眺《なが》めて暇をつぶすか」

ロザリーには悪いけど、幽霊が少ないというのは、ブルードラゴンの人生が素晴《すば》らしいものだということなのではなかろうか。


あと、買い物帰りのライカには空いてる部屋で休んでもらっていた。

見るからに疲れたという顔をしていたのだ。

「ライカ、集落のお店で買い物をしたんだよね。長い間、空を飛んだわけでもないのに、やけにぐったりしてるね」

「買い物に行ったら、お店の店員と目が合うたびに、力比べを申し込まれました……。買い物中は困ると断り続けたのですが、なかなか鬱陶《うっとう》しいですね」

「どんな店だよ！」

「店長に勝つと肉が半額になるタイムセールだとか言われましたが、今はお金の節約より時間のほうが大事だからと辞退しました。この土地、やっぱりおかしいですよ」

「それは本当におかしいね……」

「お店の外では買い物客たちがトーナメント戦をしていましたし……。あんなに殺気立っている食料品店はないと思います」

なんて世紀末な雰囲気の店なんだ……。

「対戦したくない時にやたらと申し込まれると、ダルいものですね。今度から我も気をつけたいと思います。できれば次は店長を倒す心づもりの時に買い物に行って、とことん戦いたいです」

話しているうちに、またライカがやる気になっていたようなので、よかった。

家族全員、異文化体験みたいなことをしているようなので、これはこれでいいとプラスに考えることにしよう。

さて、肝心《かんじん》の料理だけど、子供ドラゴンは黙々《もくもく》と食べてくれた。

人間形態になれないらしく、お皿に直接口をつけてむしゃむしゃやる形になっていたが、この姿でスプーンやナイフを使うほうがおかしいので別にいい。

「どんどん食べてるね～」

「子供は食べるのが仕事。しっかり役割を果たしていると言える」

ファルファとシャルシャも興味深そうに、子供ドラゴンの食事風景を眺めている。

「ふ～、肩の荷が下りたや」

私は、一仕事終えたため息を吐《つ》いた。

「もし、全然食べないようだったら、どうしようかって思ってたんだよ。この子の好みなんて何も知らないわけだし」

フラットルテの両親からも聞かないままだったし。いや、おそらく、この子供ドラゴンの親も、フラットルテの両親に子供の好みなんて語ってない。

最初から伝達する気がブルードラゴン側にないのだ。だから、私たちも知りようがなかった。

「だから、ご主人様、言ったじゃないですか。ドラゴンはたいていのものは食べるんですって」

フラットルテは終始気楽な様子だけど、結果的にそういう態度でよかったことになる。ブルードラゴンのことはブルードラゴンが詳《くわ》しいのだ。

「じゃあ、明日からもファルファとシャルシャが食べたくなるものを作るっていうコンセプトでいくかな。それで大丈夫そうだ」

「明日は我が作りますね。同じドラゴンだと思うので、肉を焼けばそれで済むかと」

ぶっちゃけ、そんなやり方でいけるだろう。子供でもドラゴンはドラゴンだ。

「わたしも工場に行く前にサラダぐらい作ろうかと思いますけど……サラダは食べないかもしれませんね」

ハルカラの懸念《けねん》は正しい。

「だね。ハルカラは町で知らない店の開拓を楽しんできて。ハルカラにも迷惑かけちゃってるわけだし」

「あはは。それを言うなら、家族全員、迷惑被《こうむ》ってますよ～♪」

言葉にトゲはまったくないけど、正しいんだよな。

しょうがない。フラットルテ一人に押しつけるのも何か違うと思うし、数日子供ドラゴンの面倒を見るぞ。

今のところ、子供ドラゴンがとくに手がかかるというわけでもないしね。

丈夫な分、人間やエルフみたいに肉体的には強くない種族の子供より、よっぽど扱いやすい気がする。フラットルテの両親がやけにテキトーだったのもこういう事情があるのだろう。

でも、その時、解決しないといけないことが残っていることに気づいた。

「まっ、子供ドラゴンも人見知りしてないようだし、全然ＯＫなのだ」

フラットルテがあくびしながら言った。

「そう、それが問題なんだよ！」

私は思わず立ち上がった。

「ご主人様、どうしました？　人見知り状態にならないとわからない強さがあったりしますか？

だったらフラットルテは知らないままなのだ」

「違う、違う」

私は手を横に振る。


「名前がないままなんだよ！　子供ドラゴンってずっと呼んじゃってる！」


そう、私たち家族は名前を知らされてないままなのだ。

家族だけじゃなくて、フラットルテの両親も知らされてないぐらいだから、もうまったくわからない。

子供ドラゴンのほうも自分の名前をしゃべったりしないので、一切が闇《やみ》に包まれている。

文字で書いてくれればいいけど、しゃべれないなら、文字も書けないよね。

「ずっと『子供ドラゴン』じゃよくないと思うんだよ。呼び方からして、愛がない。ニックネームみたいなものでいいからつけたほうがよくない？」

人間の子供に、「人間の子供」って呼び続けるのは、あまりいい影響はないと思う。

それと似たようなことを私たちはしている可能性がある。

「アズサ様のおっしゃることはわかるのですが、この子にも名前はあるはずで……それを無視する形になるのもよくないのではないでしょうか？」

ライカの指摘はいちいちもっともだ。

だが、あえて抗《あらが》う！

「ニックネームが本名と全然違うケースだって普通にあるし！」

「ああ、怪盗のキャンヘインさんが『後出し予告の奴』って呼ばれていたみたいなやつですね」

ハルカラがよくないたとえを出してきた。

「それは一種の悪口じゃん……。たしかにそういう通り名みたいなのや、職業名や役職名が広まることも多いけど……」

もちろん、この子供ドラゴンが悪いことをしているわけがないので、もっといいニックネームをつけるつもりだ。

「おい、お前はどんな名前がいいのだ？」

フラットルテが子供ドラゴンに直接聞いた。

ある意味、合理的な方法ではある。

しかし、子供ドラゴンは首をかしげるだけで何も語らない。

どうやら、まだしゃべれないらしい。人間年齢だとかなり幼いようだ。

「わかってないのか？　お前の名前なのだ。それをお前が決められるのだ。何か言うのだ。どんなのでもいいぞ」

そう言えば、自分の名前を自分で決めるというのは、なかなかないことだ。生まれた時は言葉がわからないから、名前を決める能力だってない。その能力が身につくまで、子供って呼ばれ続けるわけにもいかない。

子供ドラゴンはフラットルテに顔を近づけられたことにびっくりしたのか、

「グアアァン」

と鳴いた。


「そうか。グアアアァンだな。お前の名前はグアアアァンだ！」


明らかに鳴き声！

「待って、待って！　乱暴！　もうちょっと計画的にやろう！」

それだと、猫の名前が全部ミャーやニャーンになってしまう。

「フラットルテも変な名前だと思うのだ。だけど、こいつが自分で決めた名前ならしょうがないのだ。こいつがその名前で胸を張ればいいだけの話なのだ」

「今のは鳴き声でしょ。名前には含まれないよ」

「でも、しゃべらないんだったら、手の打ちようがないのだ」

実のところ、私にも打開策はなかった。どうしたものか。

「ううむ……。シャルシャ、命名について、何か使えそうな歴史的エピソードってない？」

「命名を村の古老が代表して行っていたところもある。だが、この場に そういう存在はいないと推測する。誰もが長命な種族だと、村の古老みたいな存在は発生しづらい」

たしかに村の古老って、長生きであるがゆえにほかのみんなが知らないことを知っているから尊敬されている節がある。長生きが当たり前の種族では百年前の出来事ぐらい誰でも知ってるから、能力にならない。

「命名に関する特別な習俗はドラゴンにはない。目上の者が名づければそれでいい」

となると、そんな目上の人が必要か。

「ここがフラタ村なら、ママが名前をつけてあげるような立場なんだけどね～」

「うむ、姉さんの言うとおり。フラタ村では古老の立場と言っていい」

ファルファの言葉にシャルシャもうなずいている。

「あんまり古老って呼ばれるの、うれしくないな……」

だが、この発想は使えるかもしれない。

「ここはブルードラゴンの集落でしょ。だったら、この家でブルードラゴンの年長者は……フラットルテしかいないわけで……よし」

決めた。

「フラットルテ、あなたが名前をつけなさい！」

「えっ⁉　そんなこと考えたこともないのだ……」

フラットルテも珍しく戸惑っている。

ファルファから難しい算術の問題を出されたような反応だった。

「本名じゃなくて、あくまでも私たちの間で使う数日のものだから。そこまで悩まなくてもいいよ」

「だったら、ご主人様がつけたらいいのだ」

「いえ、アズサ様のネーミングセンスはあまりよろしくないので……」

なぜか、ここでライカにダメ出しされた⁉

「もしや魔法使いスライムだからマースラにするねって命名したのがダメだったの……？　それとも、もっと余罪があるってこと……？」

「我からはノーコメントです」

ライカは貝のように口を閉ざしてしまった。

まあ、今回も「クールなドラゴンだからクードラ」なんて名前にした気はするけど……。

「名前かあ……。名前なんてなあ……う～ん……」

フラットルテが迷っている間に、子供ドラゴンはふらふら飛んで食卓から去っていこうとする。

まだ幼児なので目を離せないから、私はついていく。

フラットルテもそれに続く。

子供ドラゴンは台所に行って、「食べるスライム」の残りを食べていた。

「やっぱり、甘いものが好きなんだな。そりゃ、子供の頃から苦い味が好きな子はいないか」

こんなことならもっともっと「食べるスライム」を持ってくるべきだったな。

その時、フラットルテが勢いよく手を合わせた。

ぱん！　そんな乾いた音が鳴る。

「ご主人様、この『食べるスライム』、元々別の名前がありませんでしたか?」

別の名前?　いくつもの商品名の候補から「食べるスライム」に決定したわけじゃないんだけどな。

いや、固有名詞の前に、こういうお菓子に対する一般名詞があった。

「もしかして、饅頭《まんじゅう》のこと?」

「それなのだ!　こいつの名前はマンジューとするのだ!」

「マンジューか。名前っぽいと言えなくもないのか」

なにせ、元々お菓子の名前なわけだし。少なくとも、漬物の名前よりは子供向きだろう。

「どうせなら好きなものの名前をつけてやるのだ。けど、『食べるスライム』では変だからマンジューでちょうどいいのだ」

そっか、そっか。言われてみれば、それでいける気がしてきた。

私はその子の頭にぽんぽん手を載せた。


「あなたの名前はマンジューだよ!」


「グアアァン」

よくわからないけど、それでいいよという意味の鳴き声だと私は判断した。

あんまり覇気《はき》はない気がするけど、常に威勢のいい返事をしなきゃいけないわけじゃないし、この名前を嫌がっているという感じもない。

こうして子供ドラゴンはマンジューと呼ばれることになりました。


お風呂《ふろ》はマンジューが嫌がっていきなりコールドブレスを吐《は》いたりすると危ないので、私とフラットルテで体を洗った。

「お体、きれいにしようね。ごしごし」

粗《あら》めの布でマンジューの体をこする。

気持ちよさそうな顔をしているし、このままいけそうだ。

「それにしても、見れば見るほど、トカゲなんだよな……」

多分、トカゲと考えてしまう理由の一つはマンジューがしゃべらないからだろう。そのせいでペットのお世話の感覚が強くなる。

「ご主人様、トカゲなんて弱っちい動物とは違って、ブルードラゴンなのだ」

すぐにフラットルテから訂正が入る。

「うん、わかるんだけど、ドラゴンの子供なんてあんまり見ないものだから、過去の知識に引っ張られて……」

マンジューを預かっている間にそのあたりの区別もつくようになるかな。

「体を洗ったら、お風呂につかろうね。フラットルテはそのまま入ってる？」

フラットルテは先に湯船につかっていた。

「風呂はできるだけ短いほうがいいのでもう出ます……」

さっと、フラットルテが湯船から上がった。ブルードラゴンは熱いところがとにかく好きじゃないので、フラットルテもお風呂は短い。清潔にするためにやむなく入っているというところがある。

「あっ、でも、ご主人様がマンジューを湯船につけるとよくないことになるかもしれないから、それだけはやります」

「よくないこと？　そんなに暴《あば》れるってこと？」

答えを言う前にフラットルテはマンジューをつかまえて、湯船につけた。

マンジューが「フアアアアァン」と息を吐いた。

やけに熱心に息を吐いている。

「ほら、ご主人様、お湯に手をつけてください」

言われるがままに湯船に手をつけると、

「冷たい！　水風呂状態じゃん！」

反射的に手を出した。これはサウナのあとにさっぱりする時に使うやつの温度だ。

「こいつ、熱いのを避けるために冷やしちゃったのだ。まだ子供だから凍らせるなんてことにはならなかったけど、自分に都合がいい温度にしちゃったな」

「なるほど……。これはもう一度温める必要があるな。明日からはマンジューは行水《ぎょうずい》にするか……」

お風呂はちょっとしたトラブルがあったけど、比較的平和に終わりました。

就寝時間はマンジューがタオルケットにくるまるという形をとった。

フラットルテいわく、そのへんに置いておけば勝手に眠るとのことだが、預かっている子供をそんなふうに扱っちゃダメだろ。

マンジューに何かあった時のために、私とフラットルテが同じ部屋で寝て、それと眠らずに過ごすこともできるロザリーがチェックする。万全の体制だ。

「グウウン、グウウン……」

あっさりマンジューは寝息をたてだしたので、ひと安心だ。

なんだかんだで一日目はどうにかなったな。

うん、あと数日ならこのやり方で対応できそうだ。

◇

二日目になると、ハルカラが仕事で一足先にナンテール州に帰っていった。

私はハルカラがライカに乗って出勤する少し前に起きて、二人を見送った。

残った私たちの朝食も無事に済んだところで——さて、本格的に二日目ということになったのだけど……。

意外とやることがない。

これが保育園や幼稚園なら、何か勉強でも教えるのかもしれないけど、ブルードラゴンに何を教えればいいかわからないんだよね。運動に関しては種族的に教えるまでもなさそうだし。

実際、朝食を食べると、マンジューは部屋の中を飛び回っていた。

「これは外に出して遊ばせるべきなのか？　でも、迷子になったら大変だしな……」

「それだったら大丈夫ですよ」

フラットルテがあっさりと請《う》け負った。

でも、すぐには安心できない。

基準がブルードラゴンだと、すぐに採用ってわけにはいかないことが多いのだ。私たちから見ると肝《きも》を冷やすようなことが含まれてるおそれがある。

「フラットルテ、それは迷子になんてならないって意味での大丈夫？」

「いえ、迷子になることはあっても、ブルードラゴンが雪山で数日あっちこっち行くだけなら危険なんてないです。そのうち、戻ってきます」

「だから、それだと困るんだよ！」

ブルードラゴンだから大丈夫だろうとは思うけど、預かってる子をそんな目には遭《あ》わせられない！

「フラットルテも幼い頃に散歩中に山で迷って、数日ぼうっとしてたことがあるのだ。それもまた経験なのだ」

やっぱり、ブルードラゴンって元の体が強いので、雑な生き方ができるんだな。

それ、人間が経験したら一生のトラウマになる次元のやつだぞ。

その証拠にロザリーが青い顔をして聞いていた。

「無茶苦茶すぎる……。生身《なまみ》の体でそんな目に遭ったらと思うと、寒気がする……」

幽霊でも怖がるようなことが平気なのか。

「そんなところに一人で放置されて、行き倒れの地縛霊にでも絡《から》まれたら、生身の体だと厄介だぜ……。幽霊なら仲良くなれるけど……」

幽霊が人間だった時のことを想像して話すとややこしくなる！

万事がこの調子では、ドラゴンが無念の死なんてものを迎えることもないか。

じゃあ、とりあえずおうちでできることを考えるか――と思っていたら、もう準備万端な家族たちがいた。

子供たちが何かはじめるらしい。


椅子《いす》が並べられていて、さらに壁にはボードを貼《は》り付けてある。

その壁の前にファルファが立っている。

「じゃあ、ファルファが簡単な計算を教えるよ～。ちゃんと聞いててね～」

椅子にはシャルシャとサンドラが座り、その横でマンジューが浮いている。

おお！　ちゃんと勉強を教えるつもりなんだ！

「マンジューも、いっぱい勉強して、立派な大人になろうね～。ファルファがわかりやすく教えるよ！」

「学があれば、いざという時、武器になる。しっかりと学んでほしい」

これは親のひいき目を別にしても、素晴らしいことなんじゃないだろうか。まさに家族ぐるみでマンジューのお世話をしていると言える。

みんなの邪魔にならないなら、この場でとことん大きな音で拍手がしたいぐらいだよ。

だけど、すぐに問題が発生した。

ファルファが「リンゴが二つあります。あっちにもリンゴが三つあります」とボードに描き出すと――

浮いていたマンジューが、ほかの部屋に去っていこうとした！

お勉強だから拒否したい気持ちもわかるし、これは大変そうだな……。

シャルシャはそうなることを予期していたのか、マンジューをつかんだ。

「諦《あきら》めるのが早すぎる。最初はつまらなくても、だんだん楽しくなることもある。楽しみは入り口の少し先にあるもの。まったくの食わず嫌いはよくない」

おお、ここぞとばかりにお姉さんみたいなことを言っている。

しかし、おそらくシャルシャの意図のようにはいかなかった。

そのままマンジューがぱたぱた部屋の中を飛んでいこうとする。

それにシャルシャがずるずる引きずられていく！

「うう……さすがドラゴン。子供と言えども力が強い……」

シャルシャはずず、ずずずっと床を這《は》っていく。

「グアアアッ、グアアアアッ」

この鳴き声は多分、拒否を示してるんだろうな。

「もう、何をしてるの。動物はすぐに動き回って落ち着きがないんだから」

シャルシャの足を今度はサンドラがつかむ。

予想はついていたけど――今度はサンドラも一緒に引きずられた。

「ちょっと！　実力行使はよくないわよ！　根っこを土に入れてる植物だったら、ぶちぶち切れてたわよ！」

「赤いスライムは青いスライムより五割多く進めるよ。すると、何分後に赤いスライムは青いスライムに追いつくかな？」

お勉強を教えられる状態じゃない！


そのあとも、シャルシャの文法の授業、サンドラの性格がいい植物・悪い植物の授業があったが、どっちもマンジューはすぐに離脱してしまった……。

マンジューをつかんで、そのまま子供たちが引きずられる光景が何度も目に入った。

私とフラットルテはその様子の一部始終を見ていた。

「勉強を教えるっていうのは、教わる側からしたら余計なお世話だったりするのかな……。教わっている意識もマンジューにはないけど」

ブルードラゴンに対する有識者であるフラットルテに聞いてみた。

「ブルードラゴンは興味を持ったことしかやらないのだ。強制は無理なのだ」

フラットルテの説明を聞くまでもなく、ブルードラゴンが自由奔放《じゆうほんぽう》に育てられていることはわかった。


ただ、引きずられることで子供たちのほうにも気づきがあったらしい。

掃除をしてから、お昼前に娘たちのところに顔を出すと――

「わ～い！　ほどよい高さなのが面白《おもしろ》～い！」

マンジューにつかまりながら、ファルファが足がギリギリつかない程度の低空飛行をしていた。

なるほど。引きずられない高さで飛んでもらえば、ちょっとしたレジャーになるということか……。

シャルシャとサンドラがなぜか縦《たて》に並んでるけど、あれはおそらく順番待ちだろう。

「室内を飛ぶ時は、ぶつからないように気をつけてね」

「は～い！　ファルファは注意して飛ぶよ～！」

子供たちが満足でマンジューも不快でないのなら、止める理由もないし、これでいいか。

勉強は失敗したみたいだけど、遊び相手なら年の近い子供たちに任せておけばいいな。

……いや、年は近いとも限らないのか。精神年齢が近い？　それともちょっと違うな。見た目年齢が近い？　ドラゴンの見た目年齢もよくわからない。

確実なのは、もうマンジューのお世話をするシフトが完成されたということだ。

突発的に子守りをしなきゃいけなくなった時でも、私たち家族はなかなか上手《うま》くやれそうである。

もっとも、こういうものは調子がいいぞと思った時に、転落のきっかけも芽生《めば》えてしまっているのだ……。

ライカがハルカラを送り届けてブルードラゴンの集落に帰ってきた。

ちょうど、お昼ごはんもできたので、私は娘たちを呼びに行った。

「ごはんだよ。みんな、来て～」

そう呼びはしたものの――

部屋はもぬけの殻だ。

「あれ、どこに行ったんだろ……」

ちょうどロザリーが隣の部屋の壁を抜けて入ってきたので、娘たちとマンジューについて尋ねてみた。

「そういえば、さっき、もっともっと飛ぶんだって言って、外に出ていったような気がしますね」

外か。近くを飛ぶだけならいいけど……。

その時、ほんの少し嫌な予感がしたけれど、それを打ち消すように私は外へ出た。

そこには不安そうな顔のファルファとシャルシャがいた。

「もう、ごはんだよ。サンドラとマンジューがどこか知ってたら呼んできて」

私がそう言ったのをきっかけに、二人の目がうるみだした。

「ママ、なかなか二人が帰ってこないの……。お外にマンジューを出すべきじゃなかったかな……」

「捜したくはあるが、土地勘がまったくないので、わからない……」

嫌な予感は的中してしまった。

マンジューは子供とはいえ、ブルードラゴンなのだ。全力を出したら、かなり遠くまで行ってしまうこともありうる。

私はまずは二人の背中をぽんぽんと叩いた。

「泣かなくてもいいよ。二人は何も悪くないんだから。それより、ほかのみんなを連れてくるから、二人がどっちのほうに飛んでいったか教えてくれる?」

二人はこくこくとうなずいた。


家族を集めて、ファルファやシャルシャが通った時の飛行ルートなどを聞いた。もっとも、それなら何の危険も起きないから、とっくに戻っているはずだった。

ファルファとシャルシャの経由先は集落のあたりを一周するようなものだったが、サンドラは雪や氷がそんなにないところがいいと言っていたという。

「サンドラちゃんの指示を受けて、マンジューが遠くを目指したのかもしれませんね……」

ライカは周辺の地図を出して頭をひねっている。ドラゴンのライカには周囲の地形も頭に入っているようだ。

「もう少し、範囲がしぼれればなあ……」

ダメ元で捜索に出るしかないか。まずは付近から。いや、近所なら集落のブルードラゴンたちにこういう子を見かけたら教えてくれと言って回るほうが効率がいい。最優先で確認するのは、立ち入ると危ない場所だな。

戻らない二人が無事であればそれでいいのだから。

「ご主人様、多分、わかります」

フラットルテが真面目《まじめ》な声でそう言った。

「ほ、本当⁉」

かつてこの土地の住人だったフラットルテなら、推測ができてもおかしくない。

しかし、フラットルテの表情からはたんなる土地勘以上のものを感じた。

「本名じゃないにしても、名前をつけちゃったから、見つけなきゃいけないのだ。見つけてくるのだ」

フラットルテなりに責任を感じているんだな。

「じゃあ、私も行くよ。フラットルテに乗っていく」

「わかりました、ご主人様、それではよろしくお願いいたします」

フラットルテが首を縦に振る。

「あの、我も捜索に！」

「ライカ、お前は飯を食え。留守番担当なのだ。しっかり食って備《そな》えろ」

フラットルテの言葉はライカをバカにしたようなものじゃなかった。

「詳しくないお前が捜せる範囲はせいぜい集落の周囲だけなのだ。そんなところにいるならどっちみち無事なのだ。人手がもっと必要そうだったら遠慮なくこっちから呼んでやる」

そのフラットルテの気迫に押されていたみたいだったけど、やがてライカも、

「わ、わかりました……」

と了承した。

たしかに誰かはいたほうがいい。ファルファとシャルシャ、それとロザリーしか残ってないというのも、それはそれでどこかのドラゴンが襲撃してきたりすると危ない。

「まあ、みんなが考えてるよりずっとしょうもないことだと思うけどな。だから、フラットルテ様が本当にあっさりと解決してやるのだ」

ドラゴン形態になったフラットルテに乗って、私は捜索活動を開始した。

捜索活動といっても、活動するのはフラットルテであって、私は乗っているだけみたいなものだが。なにせ、どっちに飛んでというような指示すら出せる立場じゃないのだ。

「ブルードラゴンの子供が行く定番スポットというのはいくつかあるんです。マンジューだって、そういうところは知ってるはずです。なので、そこらへんを軽く調べていこうと思います。そのどこかにはいますよ」

「ありがとう。助かるよ」

「いや、親にマンジューを預かると言ったのはアタシなんで……。それでサンドラまで遠くに飛んじゃったのはアタシのせいです」

そっか。フラットルテはサンドラのほうに責任を感じているのだ。

ブルードラゴンなら迷ったところでどうってことないと話していたはずだ。

「あ～、ご主人様はフラットルテがマンジューに冷たいって思われるかもですけど、そういうつもりじゃないですよ？　ブルードラゴンはものすごく頑丈にできてるってことです」

私が少し黙っていたので、気をつかわせてしまったかな。

「それは私もよく知ってはいる。……うん、これは価値観の問題なんだろうな」

私もフラットルテもおかしなことは言ってないし、言いたいこともわかる。でも、言葉にすると、きつくなっちゃうところがあるのだ。

「フラットルテ、結論は同じだから、気にしないで。二人とも見つけ出そう！」

「わかりました！」

フラットルテは集落を抜けて、いかにも雪山というようなところを飛び回った。

一見、全部同じような地形に見えても、近づくと暗い谷になっているようなところや、凍結した池があるところなど、他と違うスポットがいくつもあった。

こういうところを目指したりして、ブルードラゴンの子供は遠出するんだろうな。子供にとってみれば、ちょっとした水辺が楽しかったりするものだ。フラットルテの捜索は的確だと思う。

だけど…………二人はそういった場所にはいなかった。

「ここにもいないのだ。降りた気配もないな。雪に足跡がついてないのだ」

フラットルテは空からへこんで窪地《くぼち》になっている地形を眺めていた。

「それっぽいところは捜したよね。ずっと、ずっと、遠くに行ったのかな？　それで帰り道がわからないとか」

マンジューが地理に異様に詳しいとも思えない。迷ってしまうこともあるだろう。

「う～ん。でも、それだったらサンドラが文句を言いそうな気がするんですよね。フラットルテみたいなサイズでもないから、遠方に行くのも大変ですし」

フラットルテの言葉も理解できる。

サンドラだってあまり集落から離れてはまずいと思うだろう。

だったら、なぜ見つからない？

「サンドラの希望する場所がなぜか遠いところにあったとか……？」

いや、サンドラは向こう見ずな性格でもないし、それも考えづらいか。

「あっ！　ご主人様、それです！」

フラットルテが大きな唸《うな》り声を上げた。

「えっ？　何かつかんだの？」

「マンジューは、ブルードラゴンの子供がよく行く場所じゃなくて、サンドラの希望する場所に行ったんですよ！　だから、アタシが巡った場所だと空振《からぶ》りだったんです！」

「そんな場所がこのへんにあるの？」

「はい、雪も氷もなくて、それと土がある場所です！」

フラットルテは集落の方角に引き返して――

その途中の雪山の一つに近づいていく。

そこには何か黒々としたものがあった。


近づいていくと、その正体がわかった。

それは洞窟《どうくつ》だった。

かがまないと奥に入れないような天井《てんじょう》の低い洞窟だ。でも、だからこそ、氷雪が中に入らないようになっていた。

私はフラットルテから降りると、その洞窟の中に進んでいった。入り口がとくに低くなっているけど、少し進めば、また天井は高くなる。光は洞窟の割れ目から入っているのか、真っ暗ということもない。

人の気配みたいなものを感じた。

奥に誰かがいる。

サンドラとマンジューだった！

「見つけた！　見つけたよっ！」

「あれ、アズサとフラットルテじゃない。もしかして、お昼ごはんの時間？」

きょとんとした顔でサンドラが言った。

泣いた様子もないし、不安そうな表情でもない。

マンジューも、何を考えているかわからない顔で私のほうを見上げている。

こっちはけっこう心配したんだけどなあ……。

でも、この洞窟は集落からもまあまあ近いところだし、サンドラにとっても大冒険ってほどの距離ではなかったのだろう。

「ところで、サンドラはなんでここに？」

「この洞窟、寒さもしのげるし、地面も雪に覆《おお》われてないでしょ。光が足《た》りないから光合成には向かなかったけど」

サンドラは地面を靴でこんこんと蹴《け》った。

「マンジューはちゃんと要望に応《こた》えたわけだね」

マンジューが「グワアアァン」と鳴いた。

そして後ろからフラットルテがゆっくりとやってきた。

「マンジューよ、お前もちょっとはほかの人のことを考えるといいのだ」

ホッ

その言葉に私は笑いそうになってしまった。

フラットルテも子供相手にはほかの大人が言いそうなセリフを言うんだな。

「ご主人様、今、笑ってませんでしたか？」

「そ、そんなことないよ？」

フラットルテにバレそうになったので、私は慌てて否定した。

二人を発見した功労者にその態度は失礼だからね。

「フラットルテ、ありがとう」

◇

早くみんなに無事を報告するべきなので、帰りはマンジューもサンドラもフラットルテに乗せて一気に集落に向かった。

家族のみんなもほっとしたようだったが、時間だけで考えれば捜索時間三十分ちょっとのことだった。

フラットルテのおおげさに考えすぎという意見が正解だったことになる。

ほっとしたらおなかがすいたので、お昼ごはんはいつもよりたくさん食べた。

それは私だけでなく、みんな同じで、食事量が増えている感じだった。

「これ、また買い物に行かないと、夕飯が足りるか怪しいな」

「アズサ様……今日はお願いできますか?」

「うん。行ってくるよ」

ライカに言われたので、私は快諾《かいだく》する。ライカはハルカラの通勤で往復させちゃってるしね。


そして、買い物に行ってから後悔した。


「はいはーい、今日は野菜が安いよ！　おっ、前に来たことのある高原の魔女さんですね。力比べしませんか?」

「……いや、いいです。今日はあくまでも買い物なんで」

そういえば、ブルードラゴンの集落だと力比べを要求されるんだった。

「お会計はこちらでやってます。高原の魔女さん、力比べしていきませんか?　そちらが勝ったら安くしますよ」

「……けっこうです。というか、そのシステム、弱かったら経営が立ちゆかないのでは?」

「その時はお店のほうを閉めて、特訓して強くなればいいんですよ。はっはっはっは！」

思考が商売に向いてない！

世界にはいろんな文化があるとは思うけど、ブルードラゴンの文化は特殊にもほどがあると改めて実感しました……。

◇

それから先はマンジューによるトラブルもなかった。それに、フラットルテの両親も旅立って三日後にちゃんと帰ってきた。

「たまには戦いに行かないと体がなまるからな。よく戦えたぜ!」

「美容と健康のためにも戦わないとね~。それと子供の面倒も見てくれて、本当にありがとう!」

私がこんなカジュアルに戦いまくろうとする性格だったら、娘たちにも影響を与えてたかな……。

「でも、せっかくアズサさんがいるんだから、力比べしておきたいわね」

「帰る前に力比べしていかないか?」

「お断りします!」

外で戦ってきたでしょ。戦闘民族サ○ヤ人かよ……。

でも、終わり良ければすべて良し。

マンジューのお世話というミッションはコンプリートしたからね。

難点があるとしたら、マンジューと別れるのが寂《さび》しくてつらいことかな。

とくに娘たちは名残惜《なごりお》しそうだった。短時間ですっかり友達になったみたいだ。

娘たちはマンジューにぶんぶん手を振っていた。

マンジューも勉強は嫌がってたけど、それ以外は娘たちに空の旅を味わわせてくれたりと、友好的に付き合ってくれていた。

フラットルテはフラットルテで、「マンジューよ、強いブルードラゴンになるのだ」と語っていた。

いつのまにか、お姉ちゃんと保護者をミックスしたような立ち位置になっている。

マンジューもしっかりその話を聞いているように感じた。瞳《ひとみ》はじっとフラットルテのほうに向けられている。

さて、私も帰る前にあいさつをしとかないと。

今度は私がマンジューにじっと向かい合う。

今ならトカゲとブルードラゴンの区別もすぐにつく。

手を伸ばして、マンジューの頭を撫《な》でる。

「マンジュー、また遊びに来るからね」

「うん、まってる」

「そうだね、待っててくれたらうれしいな」

「またきてね」

「うん。マンジューのほうから来てくれてもいいよ。ナンテール州に住んでるからね——って、あれ……？　あれあれあれ？」

何かがおかしいぞ。

「ご主人様、マンジューがしゃべっているのだ！」

フラットルテに指摘されて、異常に気づいた。本当だ！

「ちょっと、ちょっと！　しゃべれるんだったら、最初からしゃべってよ！」

「くちのなか、はれてて、しゃべりたくなかった。だいぶ、よくなったの」

ぼそぼそとマンジューは話す。そういう事情ならわからなくもない。いや、完全に納得はできないけどね……。

「できれば名前ぐらいは教えてほしかったかな……。ずっとマンジューって呼んじゃってたし」

名前を知っていれば、最初からそちらの名前で呼んだはずだ。

マンジューは元気そうに「グアアアァン」と鳴いた。


「みんなのまえのときは、マンジューでいいよ」


なかなか粋《いき》なことを言われた。

この子は「名前なんて教えなくていいだろ、マンジューでいいだろ」と答えたわけだ。

「わかった！　じゃあ、マンジューはマンジューだからね！」

高い高いをするみたいに、私はマンジューを掲《かか》げた。

すると、私の体が少し浮き上がった。

マンジューが翼を動かして、ちょっと浮いていた。

マンジューにつかまって空を飛ぶってこんな感覚なんだね。

「ありがとうね、マンジュー」

「こどものみんなよりおもい」

……ん？　さらりとひどいことを言われたような！

「別に重くないし！　太ってないし！」

「こどもとくらべるとおもい」

「理屈はわかるけど、いちいち重いって言わないで！　そこはしゃべらなくていいから！」

マンジューがしゃべったらしゃべったで、傷つく私でした。

高原の家は夜も戸締《とじま》りをしていない。

これには理由がある。

まず、こんなところまで盗みに来る泥棒《どろぼう》がいないということ。

付近にほかの建物すらないので、見慣れない人が近づくだけでものすごく目立《めだ》つのだ。

普段から通行人もいないところだから、犯人側が目撃されづらいという問題点もあるにはある。

それでも、泥棒中や泥棒の直後に発覚したら逃げるのはかなり難しい。

どれだけ全力で走っても、フラットルテやライカがドラゴン形態になって追えば、ほぼ確実に現行犯で捕《つか》まる。

それに、この家には幽霊のロザリーがいる。

全員が寝静まっている時間でも、ロザリーがそのへんを浮遊していて気づく可能性がある。天井《てんじょう》や足下《あしもと》から覗《のぞ》いてるかもしれないので、運が悪ければどんなに足音をさせずに侵入してもバレる。

だから、泥棒は来ない。本当に一度もない。

怪盗キャンヘインを家に連れてきたことはあったけど……それはまた別として扱おう。

ただ、ここまでは全部、泥棒が問題ないという理由に関すること。

戸締りをしていないのには、それ以外の理由もある。

外の菜園にサンドラがいるのだ。

サンドラはたいていの場合、夜は外にいる。

植物からしたら屋外にいるほうが自然なことらしい。

だけど、たまに家の中に入ってきたくなることもある。

風が強いからだとかいった時もあるだろうが、具体的な理由がなくても家の中にいたい時もある。

家というのはそういうものだ。

戸締りをしてしまうと、サンドラが入ってこられなくなる。

ドアを叩《たた》けば誰《だれ》かが起きてきてカギを開けるだろうけど、毎回そんな手順が必要だとサンドラも遠慮して、そもそも家に入ってこようとしなくなるだろう。

だから、カギもかけずに開けっ放しになっているのだ。

まっ、夜はみんなも各自の部屋にいて、その自室の部屋のカギはかけていたりもするので、問題はなかろう。実際、ニンタンが文句《もんく》なしの金目のものである奉納品をくれたあとでさえ、泥棒は入らなかったぐらいだし。

なので、サンドラが夜に家の中に入ってきてもおかしくはないのだ。

ドアが開いて、サンドラの姿が見えたので、私は「今日はおうちで過ごすんだね」と言った。

ちょうど、お風呂《ふろ》上がりでお酒でも少しいただこうかと思っていたところだった。

ただ、その日のサンドラは少し顔色が悪かった。

「そうね……。なんか頭痛がするから、そのへんでじっとしてるわ……」

そういえばサンドラは頭を押さえている。

「えっ？　どうしたの、サンドラ？　もしかして……病気とか？」

植物だって生きているのだから病気もあるだろう。問題は動き回れるマンドラゴラの病気がどんなものか想像しづらいことだ。

「う～ん、そういうのじゃないと思うのよね。一時的な体調不良って感じ」

本人の意見も大切だが、病気には本人がわからないものもある。慎重にならないと。

「体調不良って、光合成の時間が足りてなかったりした？　あるいは、逆に光合成する気がしなくなってたとか？」

光合成は植物にとっての食事みたいなものだ。食事を何食も抜いたりすれば、体力も落ちる。あるいは、食欲が全然ない時も夏バテみたいに体調不良のシグナルになる。

だが、サンドラは首を左右に振る。

「そんなことないわ。むしろ、ここ最近、いつも以上に光合成したかったぐらいだわ」

「いわゆる、食欲はあるのか。ふ～む……。葉っぱが枯《か》れたりとかもしてない？」

葉っぱの量が減れば、光合成で得られる栄養も減る。人間で言えば一回の食事の量が急に減るようなものだ。

またもサンドラは首を左右に振る。

「……だとすると、何だろ。最近、頭を打ったりした？」

急に人間らしい原因の探り方になってきた自覚はあるけど、とにかく尋ねる。

「そんなこともないわ。土の上だと頭をぶつけるところだってないし」

本当に原因不明か。ちょっと気味悪いな。

「まあ、長らく生きてきたのに、今日や明日に突然死ぬってこともないでしょ。しばらく様子を見るわよ」

そう言うと、サンドラは椅子《いす》にちょこんと腰かけた。

「たしかに普通の植物の生命力よりははるかに強いだろうけど……何かあったらすぐ言ってね？」

「私だって、つらいのにつらくないとは言わないわ。そこは安心して」

マンドラゴラの病気に対する専門的な知識もないので、私としてもそれ以上のことはできなかった。

取り越し苦労でありますようにと願う。

私はロザリーにサンドラの様子をとくに注意して見てもらうよう言い残して、その日は眠ることにした。


翌朝。

いつもより早く私は目を覚ました。

サンドラのことが気になって、眠りが浅くなったせいもあると思う。

早速、サンドラがいたダイニングのほうに向かう。

サンドラはダイニングにはいなかった。

代わりに壁からロザリーが出てくる。

「姐《ねえ》さん、おはようございます。サンドラなら、日が昇る頃《ころ》に庭に出ていきましたぜ」

「おはよう、ロザリー。ということは、そんな重い頭痛じゃなかったってことかな」

最低でも、動けないほどまずい事態になっているということはない。

とはいえ、直接サンドラの様子を確認しないと安心はできない。

なにせ、私の娘のことだからな。


私はドアを開けて外に出る。朝の空気がなかなかに気持ちいい。

菜園のほうにサンドラはちゃんといた。

手には手鏡を持っている。サンドラも女の子だから身だしなみを確認するのに使うんだろう。

「サンドラ、体調は問題なさそうかな?」

だが、私がサンドラに声をかけた時、何か小さな違和感を覚えた。

明らかにサンドラはそこにいるし、そこまで深刻なタイプの違和感じゃない。

それでも、何かがいつもと違っている。いったい、何が違うんだ?

「あっ、アズサ、おはよう。昨日の頭痛の正体はわかったわ。やっぱり一時的なものだし、悩むようなことではなかったわね」

サンドラの表情は明るい。どうやら頭痛も治ったようだし、何も問題はないようだ。

「それはよかったよ。けど、頭痛の正体がわかったってどういうこと？」

あなたの頭痛の理由は気圧《きあつ》変化ですなんて、サンドラに教えてくれる人がいるとは思えないし。

それに、そういう原因って、はっきりわかるものなのか？

「ほら、これよ、これ」

サンドラが自分の頭を指差した。

そこには青い花があった。

「きれいなお花だね。花飾りを作ったの？」

たまにファルファとシャルシャもそうやって頭に花を載せることがある。高原はいろんな種類の花が咲くのに向いてる気候ではないけど、小さな可憐《かれん》な花は咲く時があるのだ。

「作ったとは言わないわ。むしろ、生まれたと言ったほうが正しいでしょ」

ん？　生まれたってどういうことだ？

そういえば、こんな青い花ってあまり見覚《みおぼ》えはないな。

高原にはあまり青い色の花はなかったはず。まったくないということはないけど、知ってる花とも形状が違う。森の中でも見た記憶がない。

「サンドラ、その花、どこで見つけたの？」

「なんか、話が噛《か》み合《あ》ってないわね。ここで見つけたに決まってるでしょ。高原を何時間探し回ったって見つからないんだから」

むっ、これはもしかして……。

「私の花が咲いたわ！　いかにもマンドラゴララしい花でしょ？」

「そういうことかっ⁉」

そりゃ、植物なんだし、開花することだってあるか。これはおめでとうと言えばいいのかな。知り合いの植物が開花した経験がないから、対応がわからん。

「よかったね。いい花だと思うよ」

初めてのことだから、我ながら微妙な褒《ほ》め方になった。

「そうでしょ、そうでしょ！　朝食の時間になったら、みんなに見せびらかすからね！」

サンドラは「どうだ！」という顔で胸を張っている。

一世一代の晴れ舞台って感じだな。

そのあと、朝食の時間になると、サンドラは自分から家の中に入ってきた。

青い花を見ると、家族たちからすぐに賞讃《しょうさん》の声が飛んできた。

「おお、美しい花ですね！　おめでとうございます！」

「咲きまくるという感じじゃなくて、控えめに咲いているのがかえってかっこいいですね～。エルフ視点でもなかなかのものです」

ライカとハルカラは言葉だけじゃなく、拍手までしていた。

ファルファとシャルシャの二人は「すごい！」「すごい」と盛り上がっている。

「うん、こんな花を墓に供《そな》えてもらったらうれしいだろうな。悪くねえぜ」

ロザリーの褒め言葉には、サンドラが「別に供えたりなんてしないわよ！　そんなもったいないことに使わないで！」と文句を言っていた。

植物からしたら、死者や墓に勝手にお供えしないでくれと思っているのかもしれない……。植物側に何のメリットもないもんな……。

「やっぱり青はかっこいいのだ！　つまりブルードラゴンはかっこいいのだ！」

フラットルテの言葉にも、サンドラが「結局、ブルードラゴンがかっこいいって言いたいだけじゃない！」と文句を言っていた。これはサンドラのほうが正しい。

というわけで、家族たちにサンドラの青い花は温かく迎え入れられたのだけど。

実は、私はまだもやもやするものが残っていた。

いや、自分の感性ではこの花がきれいに見えたりしないということではない。

そこは美しいと思う。黄色い花じゃないからがっかりしたとかではない。

あっ、そうか。それが気になるのか……。

水を差すみたいで悪いけど、放っておくこともできないし、聞いてみるしかないな。

「ねえ、サンドラ、少し聞きたいことがあるんだけど……」

私の表情を見て、ろくな質問じゃないなとサンドラはすぐに察知したらしい。不満げな顔になる。

なんで、いちいち場を白けさせる質問をするんだと顔に書いてある。

気持ちはわかるよ。でも、私だって知らんぷりはできないんだって！

「あのさ、その花って………枯れるよね？」

「当たり前でしょ！　枯れない花があったら変だわ！　アズサは動物を見るたびに、『こいつもいつか死ぬんだな。かわいそうに』って思うの？　それとも不老不死の魔女だから調子に乗ってるわけ？」

ああ、サンドラを怒らせてしまった。

でも、枯れるかどうかを聞きたいわけじゃないんだ。

「違う、違う！　ほら、花が枯れるだけなら別にいいんだけどさ、サンドラの体のほうは大丈夫なの？　サンドラの体まで枯れたりはしないの……？」

私の意図はもう、ほかの家族たちにも伝わっていたようだ。

そう、その青い花はサンドラの寿命が近いことを示すもののおそれがあったのだ。

そこを気づかないままにはできなかった。

「えっ？　私は枯れたりなんてしないわよ」

サンドラは即答した。

何を今更そんなこと聞かれたのかわからないというような反応ですらあった。

おや、もしかして見当違いな杞憂《きゆう》だったりした？

ファルファはてくてくとダイニングを離脱した。どうやら自室に戻ったらしい。

そして、すぐに分厚い本を持って戻ってきた。

「ママ、一般的なマンドラゴラって、これだよね」

ファルファが持ってきた本には、薬用部分のマンドラゴラ――つまり葉っぱより下の部分が描かれていた。

人に姿が似ていて、声を聞くと死ぬと言われてるあの部分だ。

「うん。それだね、それ」

「私だって、その部分じゃない。だから、枯れるわけないわよ」

サンドラが自分を指差して言った。

「た、たしかに！」

あまりにも人みたいに振る舞っているから、頭の中でイコールで結べてなかったけど、サンドラの大半は根っこの部分なのだ。

根っこに枯れるという概念は合わない。

「マンドラゴラの根っこは球根の一種で、葉っぱや花がなくなっても大丈夫なんだよ。だから、サンドラさんも同じだと思うよ」

「ファルファの言うとおりよ。花はそのうち枯れるけど、だからってなんで私が枯れなきゃいけないのよ。そんな簡単に枯れてたら、こんなに長く生きてないわよ」

うん、よかった、よかった。問題ないらしい。

「聞けば納得できるけど、不安だったんだよ～！　いや～、よかった、よかった！」

この場で聞けてよかった。ここで聞かなかったら、けっこうもやもやを残してたし、解決するには結局いつか聞くしかなかったんだよね。

「そうだわ。本を持ってきてくれたついでに、一般的なマンドラゴラの花がどれぐらいの期間咲いてるか見てくれない？」

サンドラがファルファに頼んだ。

たしかに、サンドラの様子からすると開花した経験はないみたいだし、どれぐらい咲いてるものかも知らなくても不思議はない。

植物も種類によっては、何十年に一度しか咲かないようなのがあったはずだし。毎年、春や夏に決まって咲くものだけじゃないのだ。

「う～んとね、二週間ぐらいで枯れちゃうらしいよ」

「二週間ね。まっ、妥当なところね」

たしかに冬休みや春休みぐらいの期間だと考えるとちょうどいいかもな。メリハリがあるというか。

「やっぱり、花が咲くっていいわね！　気分もいつもより爽快《そうかい》だわ！」

サンドラが元気よく言った。

花の紹介が終わると、サンドラはまた外に出ていった。

花の美容のためにも、しっかり光合成をしておくのだという。

つまり、普段のサンドラの一日と何も変わらないのだけど、花が咲いていることでモチベーションも上がっているということだろう。

とはいえ、光合成って筋トレみたいに能動的に行うものじゃないから、やる気がどれだけ関係してるか謎《なぞ》ではあるが。

動物がやる気がなくても呼吸ができるようなもので、おそらく光合成も光を浴びれば自動的に行われるものだろう。

ていうか、太陽の下でじっとしているだけでエネルギーになるって、植物ってかなりチートな能力を持っているのでは？

その分、動くことができないってデメリットがあるんだけど、サンドラの場合、動けちゃうんだよな。

選ばれしマンドラゴラなんだなということを改めて感じた。

しばらく光合成をしていたサンドラだったけど、フラタ村に買い物に行く時間になると、ついていくと言ってきた。

ああ、村の人に花を見せびらかしたいんだなと思ったけど、いちいち言わないでおく。

ファルファとシャルシャもついてくると言った。

いや、正しくはサンドラが二人を呼んできたのだ。

というわけで娘三人とフラタ村に買い物に行きました。

◇

村の中をサンドラが練《ね》り歩く。

その両側にファルファとシャルシャがお供みたいについていく。

そうか、これがしたいからファルファとシャルシャを呼んだんだな。

私は少し後ろからその様子を眺《なが》めていた。

サンドラは時たま、立ち止まっては「花が咲いたのよ。きれいでしょ」と村の人たちに話していた。

当然ながら「きれいだね～」といった言葉が返ってくる。

お店で買い物している時にも言っていたので、顔を覗き込んでみたけど――

褒められまくって最高だな、という顔をしていた。

顔がちょっとニヤけている。

本当にわかりやすい！

これがライカだったなら、「見せびらかすなんて自分が慢心《まんしん》していると示すようなものだからやりません」などと口にしそうだけど、サンドラは精神年齢が幼いので、そういう発想はない。

褒めてもらえる時には、とことん褒めてもらおうという発想なのだ。

しかし、とくに誰にも迷惑をかけてないけど、こういうのはほどほどにしたほうがいいのではないか。

露骨《ろこつ》すぎると、反発を招いたりもするかもしれないし……。

と、村の人たちに私も声をかけられた。

「高原の魔女様の娘さん、かわいい花を咲かせてるね」「魔女様がいい環境で育ててあげてる証拠じゃないですか?」「サンドラちゃん、いつも以上にかわいくなってますね」

私もにんまりとした笑顔になった。

「そうですか～? いや～、ありがとうございます。ははは、ありがとうございます。かわいいですかね～? ははは～」

娘が褒められるの、悪くない!

かなりアリだな!

よし、二週間だし、こんなノリでもいいだろう。

その日、サンドラはずっと笑顔で過ごしていた。

長い人生、こういうボーナスタイムがあってもいい。

◇

しかし、翌日のお昼過ぎ。

げんなりした顔のサンドラが家の中に入ってきた。

入る時に、頭のあたりをやたらと手で払うような仕草をしていた。

「ふう……。室内でしばらく休憩するわ……」

「好きなだけ休憩すればいいと思うけど、光合成していて疲れることなんてある？」

以前と比べて、花のほうにも栄養を与えないといけないだろうから、いつもより疲れる可能性はありそうだ。

だけど、それなら、なおさら外で太陽に当たっていないといけないことになる。

サンドラの場合、屋内にいることは休憩になるとは限らないのだ。だから、家に入ってくるのも日が暮れてからのことが多い。

「違うわ。光合成で疲れることはないから」

サンドラは首を横に振った。

「花が咲いたせいかしらね……、悪い虫がつくのよ」

悪い虫って……サンドラをナンパする奴《やつ》がいるってこと？

これって女子に変な男が寄ってくることを差す表現のはずだ。

しかし、サンドラってナンパされるような見た目の年齢じゃない。

あるいは、フラタ村やナスクーテの町の少年が遊ぼうぜとでも言って、やってきてるのか？

だったら「うちの娘に手を出すな！」と言うのも大人げないから、原っぱででも遊んでくればと思うけど。

「花の蜜《みつ》めあてで、いつもより虫が集まってくるの！　面倒くさいわ……」


「そのままの意味か！」

そりゃ、花が咲くのってそういう目的だからな。サンドラのファッションのためではない。ある種、花は本来の役目を果たしているとも言える。

「このへんにほかのマンドラゴラは生えてないし、無意味なのよ。つまり、虫が来るだけ鬱陶《うっとう》しくて損《そん》なの。勘弁《かんべん》してほしいわ……」

「そこは、なかなか上手《うま》い具合に行かないね……」

たしかにサンドラにとって、虫が来るメリットってどこにもないよね。

「花が枯れるまで帽子《ぼうし》でもかぶっていたほうがいいかしら」

「それは本末転倒なんじゃ……」

「大丈夫よ。虫は花を見たって、きれいだとか美しいとか言わないから。愛想の一言も言わない奴らに見せる必要はないのよ」

どうやら、青い花はサンドラに対して、虫が寄ってくるという対価をちゃんと要求しているようだった。

「理屈はわかるけど、どことなくセコい」

「別にいいでしょ。あ～あ。好きなだけ花を褒めてもらえると思ったのに」

きれいな花にもしっかりとデメリットがあったのだ。

世の中、そんなに甘くないんだな。

ただ、サンドラの青い花はかなり希少価値が高かったのか、やがて、もっと大きな虫がやってきた。

「お久しぶりです、ノーソニア企画のノーソニアです」

二日後、蝶《ちょう》みたいな羽を羽ばたかせてノーソニアがやってきた。

このクロウラーという種族の魔族は、幼虫時代、私が知らないうちに命を助けたことがあるのだ。

私のほうは何も覚えてないぐらいなので、命を助けたことで恩を着せる気は一切《いっさい》ないけど、向こうは感謝してくれているらしい。

その時の恩返しで服を何着も作ってもらったことがある。

「お久しぶり。いつ以来だっけ？　踊り祭りの時にあなたが出店《しゅってん》してた時ぶり？」

魔族はフットワークが軽いので、なぜか人間の土地に住んでいても出会う時がある。

「ちょっと、今日はアズサさんに許可をいただきたいことがあって参りました」

あっ、だいたい予想がついたぞ。

サンドラの花が咲いた直後なんだよな。

「サンドラさんの花の蜜、分けていただきたいんです。人の姿をしたマンドラゴラの蜜ってものすごくレアなんですよ！」

やっぱりそういうのか！

「分けてほしいって……それはサンドラ本人に聞いてよ。私に言われても困る案件なんだけど」

「いえ、まずは保護者の方の同意を得ないといけないいなと思いまして」

そう言われればそうか。蜜を奪いにやってくるみたいなのよりは、律儀なほうがありがたくはある。交渉の余地があるわけだからね。

「ところで、この情報はどこから聞いたの？　ベルゼブブもまだ来てないんだけど」

魔族たちにまで情報が伝わる経路がよくわからない。

「そこはそれ、クロウラー業界の横のつながりですよ。ワタシ、『ヴァンゼルド城下町クロウラーの会』の副会長もやってますから」

東京の岡山県人会みたいなの、どこの世界にもあるんだな……。

「人間の世界に旅行をしてるクロウラーなんかもいますから。そういったところから話は流れてきます」

「魔族って本当にカジュアルに移動してるね……。それはそれとして、サンドラに話を聞くか」

とりあえず、本人の意向を聞かないと話にならない。

私とノーソニアはサンドラのいる菜園に行った。

行ってみると、サンドラは不思議な踊りをやっていた――ように見えたけど、虫を追い払っているだけだった。

「もう！　やたらハチが来る！　ほんとに来ないでほしいわっ！」

言われてみれば、けっこうハチが飛んでいる。

これはみんなサンドラ狙《ねら》いなのか。

「あのさ、ハチが来た時だけ、帽子をかぶるんじゃダメなの？」

「それでも、しつこくやってくるのよ！　もう、花があるってバレてるみたいだわ！」

巣の中で情報が共有されているみたいだな。情報を集めるのは人間の専売特許ではなくて、野生の世界でも当たり前のことなのだ。

「こんなタイミングで悪いけど、サンドラにお客さんだよ」

「花の蜜を吸おうとする不届き者を追い払ってるから、もうちょっと待って！」

この時点で交渉不成立だと思えてきた……。

モロに蜜めあてで来てるんだよな……。

「お久しぶりです、サンドラさん。魔族のノーソニアです。今日は珍しい花の蜜を賞味《しょうみ》できないかと思ってやってきました！」


「帰れ」

サンドラが一言で切り捨てた。そりゃ、そうなるよな。目的はハチとまったく一緒だし。

しかし、ノーソニアは商売人だからか、なかなか図太《ずぶと》かった。

ノーソニアはそのへんを飛んでいるハチを両手でかぶせるようにしてキャッチした。

昆虫の蝶や蛾《が》だとそんなことできるわけないけど、そこはクロウラーの強みだ。

「おお、上手い！　けど、それ、刺されるんじゃない？」

「人間の土地のハチに刺されるのなんて誤差みたいなものだから大丈夫です。はいはい、この種類のハチですか。そうか、そうか。わかりました」

ノーソニアは手で作ったカゴの中のハチを目で確認していた。やっぱり昆虫のことには詳《くわ》しいらしい。

「サンドラさん、交渉をしましょう。このハチが嫌う匂《にお》いがする植物繊維を縫い込んだ帽子を作ります。だから、ワタシに少し蜜をください」

そう、ノーソニアは提案した。

なるほど。ノーソニアは服飾関係のプロだ。そのプロが無料で帽子を作ると言っているのだから、悪い話じゃない。

もっとも、私は頭に花が咲いたこともないし、そこの蜜を取られた経験もないので、サンドラにとってどれぐらい嫌なことなのかよくわからないんだよね。

最終的にはサンドラに決めてもらうしかない問題だ。

「そう来たか。三分、考えさせて」

サンドラはうんうん唸《うな》りながら、どっかに歩いていってしまった。

おそらく、高原の家を一周するつもりだろう。

そして、本当に一周したらしく、逆側からやってきた。

「その話、呑《の》んだわ。かわいい花は二週間で枯れるけど、かわいい帽子なら長い間使えてお得。合理的に考えて帽子を選ぶわ！」

「ありがとうございます！　最高にかわいい帽子を作りますね！」

交渉成立。サンドラとノーソニアはしっかり握手をしていた。

ひとまず、上手くまとまってよかった。

でも、ほんのちょっぴり思うことがあった。

本人（？）に帽子よりも無用の扱いを受けた花が哀《あわ》れだな……。

「アズサさん、そういうことになりましたんで、帽子制作のために空いている部屋を貸していただけますか？」

そりゃ、花が咲いている期間を考えると、一か月後に納品しますってわけにもいかないし、そうなるよね。

「うん、いいよ」

ついでにミミックのミミちゃんの紹介もしておこう。間違えてミミちゃんの部屋を開けて、ノーソニアが噛《か》みつかれても困るし。

ノーソニアはミミちゃんにもあいさつをして、「かわいいですね」と言った。

お世辞なのか、魔族の感覚だとかわいいのか、どっちかわからないな……。

◇

そのあと、ノーソニアは空き部屋で早速、帽子制作を開始した。

同じ部屋にサンドラも入った。要望をすぐ横でどんどん伝えていくためらしい。

完成してから、「思っていたのと違う！」ってことになったらややこしいし、リアルタイムに意向を伝えられるのは悪いことではないと思う。

ノーソニアにとったらプレッシャーなのではと思うけど、そこはプロだからどうにかするだろう。

「人生がかかってる一般的な植物と比べたら、ずっと小さな問題だとは思うけど、花が咲くと何かと大変なんだね」

私はダイニングでお昼のお茶をしながらつぶやいた。

前にはファルファとシャルシャ、それとフラットルテが座っている。

お茶菓子《がし》はノーソニアが持ってきたお土産《みやげ》だ。見た目は沖縄《おきなわ》のサーターアンダギーみたいなやつだった。フラットルテは黙々《もくもく》と食べて、「ノドにつかえたのだ……。水分を奪われたのだ……」と言っていた。

「それはそう。人のように振る舞うマンドラゴラの花はなかなか咲かないが、その理由の一端は花が咲く意味があまりないからとも言われている。我々はとても貴重な体験をしたと言える」

シャルシャがお菓子を持ちながらしゃべる。説明しているので口に入れるタイミングが難しいようだ。

「また、これは植物学者の話ではなく年代記作家の言葉だが、人の姿をしているマンドラゴラは古くから多くの者に狙われる存在だった。そこでさらに目立ってしまう花は邪魔だったはず」

「たしかに！　天敵が増えるだけ損だ！」

まだハチは普通のマンドラゴラにとったら花粉の運び手という意味があるけど、人間はただの略奪者だからな。

「また、人間から隠れて生活すれば、ストレスを感じることも多く、花を咲かすような落ち着いた環境にいられることはめったになかったとも思う」

「だね～。ファルファもイメージはできるよ。逃げ回ってたら、サンドラさんだって花を咲かす余裕もないよね」

二人の言葉を聞いて、改めて気づくことがあった。

「だったら、ここはサンドラが落ち着ける場所ってことなのかな？」

その私の質問にファルファとシャルシャはこっくりとうなずいてくれた。

だとしたら、あの青い花は、**サンドラがここの暮らしに示してくれた合格点**みたいなものなのかもしれない。

高原の暮らしがサンドラにとって適した環境だったかどうか、本当のところ、私たちにはわからなかった。気はつかっていたつもりだったけど、それと正解だったかどうかは別のことなのだ。

「常に重荷を感じてたわけでもないけど、ぽーんと重荷がどっかに消えていったよ」

私はサンドラの親代わりをやってるけど、それよりもまず大切なのは――

安心できる場所を提供することだもんね。

「ママ、偉いよ～♪」

「サンドラさんが楽しんでること、シャルシャも確信している」

娘に褒めてもらえると、やっぱりうれしいね。

そして、夕飯の時間が近づいてきた。

今日はノーソニアもいるし、ハルカラが帰宅する時間に合わせて、いつもよりは遅い時間の夕飯にするつもりだ。

ハルカラもライカに乗って帰ってきたし、そろそろノーソニアの部屋に夕飯だと呼びに行かないといけないなと思っていた頃。

ノーソニアがダイニングのほうにやってきた。

「お仕事お疲れ様。サンドラはまだ部屋に残ってるのかな?」

サンドラは食事をしないから、食事中は席を外してることが多い。

「いいえ、サンドラさんももうすぐやってきますよ。どうせなら皆さんに見せたいと思いますので」

しばらくすると、サンドラがダイニングにやってきた。

新しい帽子をかぶって、さらにいつもの普段着とは違うおしゃれな服を着て。

「どう? 似合う? 帽子だけじゃなくて、トータルコーディネートよ!」

「素晴《すば》らしいです! とてもお似合いですよ!」

「最新モードみたいですね! ハルカラ製薬の広告に使いたいぐらいです!」

ライカとハルカラがぱちぱちと拍手をしている。

一呼吸置いて私とファルファとシャルシャも拍手をする。

本当に見とれちゃうぐらいのクオリティだったのだ。

しかし、母親として全然違う次元で心配になることがあった。ノーソニアに尋ねる。

「あの、これ、服すべてってなると、かなり高額になるよね? 蜜だけでっていうわけにはいかないだろうから、不足分のお金は払うよ。というか、お昼からの作業時間で間に合うとは思えないんだけど」

「帽子以外はさすがに既製品です。子供用の服を何着か持ってきていましたので、そちらに合わせました。せっかくだったら、一式揃《そろ》えたほうがファッションとしていいですからね」

「なるほど。とにかく、お金は払うね」

ノーソニアはプレゼントしますよと言っていたけど、こういうところは親としてしっかりお金を出したほうがいい。

ハルカラも「ですね。対価は払ってあげてください」と言った。社長だけあって、労働に敬意を払うという発想があるんだろう。

「タダより高いものはないですからね……。わたしは気味が悪くて落ち着かないですよ……」

「言い方が悪い！」

「でも、お金に困ってるわけでもないかぎり、こういうのはお支払いするべきというのは変わりませんから」

そこはハルカラの言うとおりだ。しばらく、少し多めにスライムを倒そうかな。

「まっ、お師匠《ししょう》様はサンドラさんの笑顔代だと考えたらいいんじゃないですか？」

「おっ、ハルカラ、いいこと言うね」

花が咲いた時もそうだったけど、今のサンドラはあの時以上にうれしそうだったからね。ファッションは人を笑顔にすることがあるのだ。

それと、笑顔が自信にもつながっている気がする。威張っているという意味じゃなくて、自然に堂々としていられるようになったという意味だ。

そのせいか、サンドラが他人に対して出しがちなトゲみたいなものも消えていた。

これでも、すでにずいぶんと丸くなっているんだけどね。高原の家に来たばかりの時は、やたらとみんなを威嚇《いかく》していた気がする。「がお～！」とか言って。あの頃《ころ》は不安もたくさんあったから、威嚇も必要だったのだろう。

サンドラはそんな虚勢を張らずに、元気に笑えるようになったんだ。

花が咲いたけど、今度は笑顔が開花した。

ああ、ちょっと、泣きそうだ。

服を一式揃えたのは、節目というのとは違うかもだけど、やっぱりうれしい。

「あれ、姐さん、魂《たましい》がいい意味でふるえてますぜ。何かあったんですかい？」

ロザリーにはすぐバレる。隠し事の難しい家だよね。

「サンドラが幸せそうな顔をしてるのを見てたら、うるっときたんだよ」

私がサンドラという単語を口にしたので、サンドラも私のほうを見た。

「変なの。どうして、私よりアズサのほうが感動してるわけ？」

「別にいいでしょ。うれしいことなんだからさ」

「はいはい。あまり水分を出して萎《しお》れないようにね。それにしても、本当にこの帽子はいいわね。花よりも私に合ってるわ」

サンドラは手鏡で顔を映している。

ここまで上機嫌なサンドラって初めてかもしれない。

でも、そこでサンドラは一瞬だけ複雑そうな顔になった。

「華麗な帽子も手に入ったし、この花は枯れる前にお役御免《ごめん》ね」

そうか。

あの青い花はサンドラにとったら、ファッションとしての意味しかなかったものだ。

その役割を帽子が補完したのだから、サンドラは花がなくても構わないのだ。

花は二週間ほどで枯れてしまうのだし、代わりができたのはいいことではある。

だけど、もちろん、その花だって大切なものなのだ。

それはサンドラが高原の家で楽しく暮らせてるって証拠みたいなものなんだから。

かといって、ドライフラワーにして長く残しますというのも違うしなあ……。それじゃ、結局花をちょん切っちゃうことになる。

どうしたら、長く形に残せる……？

「あっ、そうか！」

私の声に驚いたサンドラが「ひゃっ！」と小さな声を上げた。

「もう、アズサ、驚かさないでよ。脈絡がないわね」

「ごめんごめん。名案を思いついたからさ。まっ、名案ではあるけど、成功するかは完成するまでわからないんだけど」

なにせ、また不気味なものにされてしまうリスクもあったからな。

本人が不気味なものしか作りませんと言ったらそれまでだし。

「あなた、何の話をしてるのよ。そんなんじゃ、植物にも動物にも伝わらないわよ」

「じゃあ、わかりやすく言うね。絵を描いてもらおうかなって思ってさ」

◇

花が咲いている間というタイムリミットがあるので、私は翌日すぐにユフフママのところに行って連絡を試みた。

そして無事に連絡はついて、その人は高原の家にやってきた。


「こんにちは。クラゲの精霊キュアリーナです。世の中の無意味を描き出すことを人生の目的にしています。クラゲゲゲゲゲ……」


キュアリーナさんは心なしかこれまでより丁寧《ていねい》に頭を下げて、あいさつをした。

もしかすると、絵の仕事をお願いしたから、気合いが入ってるのかもしれない。

「というわけで、今日からクラゲの精霊で画家でもあるキュアリーナさんに家族が並んでいる絵を描いてもらおうと思います」

発案者の私が説明を行う。

「サンドラの花をどうやって形に残そうかって考えて、絵にするのがいいかなって思ったんだよ。

それなら永遠に残るでしょ」

「永遠は言い過ぎですがね。どんな絵画も一万年後には消えてます。所詮《しょせん》、有限。クラゲゲゲゲゲ」

「画家から否定されるの、納得いかない!」

そこは芸術は永久に不滅だとか言ってほしい。

「そりゃ、キュアリーナさんは六万年だか七万年だか生きてる精霊だから、そうかもしれないですけど、保存状態がよければ長く残せますから!」

「そうですね。気持ちだけでもムゲゲゲゲンに残すつもりで仕事をしましょう。クラゲゲゲゲ」

無限を強引にゲゲゲゲ伸ばすな。

少なくとも、画家のモチベーションが高いことは重要だ。いいものを描いてもらおう。

しかし、当然の不安をライカが挙手して語る。

「あの……過去に絵を描いていただいた時に、やけに暗いものになっていた気がするのですが……。美術館などで鑑賞するのはよくても、家族の絵にああいうのは向かないかと……。そこは大丈夫でしょうか……?」

そう、過去にキュアリーナさんは私たち家族の絵を描いたことがあるのだ。

あの時は家族揃ってのものじゃなくて、一人ずつの絵だったけど、全部不吉で呪《のろ》われたような雰囲気があった。高原の魔女の家シリーズとして、美術的にはけっこう高く評価されたという話は聞いている。

だからといって、あんなのをまた描かれたら、芸術的価値は別として、記念に取っておいたり、飾ったりする意味はなくなってしまう。ライカはそこを懸念《けねん》しているのだ。

普通は、状況に合わせて、描くものも変えるだろうけれど、キュアリーナさんはそういう融通《ゆうずう》が利《き》かなそうなんだよね。

キュアリーナさんは、眠そうな表情で「ぼちぼち大丈夫です」と言った。

そこはもっとはっきりと「大丈夫」と言ってほしかったけど、この人の性格からして、これはしょうがない。多分、「未来に絶対などということはないですから」とか言うのだろう。

「家族の思い出の一ページのための絵を最初から不気味にしようとは思いません。露悪《ろあく》的に振る舞うのは生き方として下の下の下……」

「ならば、私からは何も問題ないです」

「芸術的価値ははっきり言ってたいしてありませんが、虚飾に価値を求める人がいるのも、この浮世、それもまたよし。むしろ、そんな虚《むな》しさを感じとってこそ、よきものも作っていける。クラゲゲゲゲ」

「それ、事実上、家族の絵なんて無価値って言ってますよね！　いちいち言わなくていいよ！」

さすがに私も文句を言った。しっかり、露悪的じゃん！

「自分の作りたくないテーマに挑戦するのも、人生のスパイスの一つ。それなりに好意的に受け止めています。ゲゲゲゲゲゲ……」

「だから、いちいち言わなくていい」

とにかく、描いてもらえることは確実なので、キュアリーナさんの思想・信条は考えないことにしよう……。

さて、絵を描いてもらうには私たちも協力が必要だ。

私たちはモデルとして並ぶ。

集合写真を撮る時の感じに近い。近いというか、写真がない世界ではまさに家族の絵が写真の代わりなのだろう。

せっかくなので、サンドラ以外もおしゃれした服装をしている。サンドラ以外が全員普段着だと、絵になった時に不自然な印象になっちゃうからね。

「では、まず主役であるサンドラさんは中央の椅子に。花がよく見えるように、少しだけあごを引いてください。その両側にファルファさんとシャルシャさん」

指示はキュアリーナさんが的確に行う。

こういうところは、さすがプロだと思う。

「サンドラさんの後ろにアズサさん。その両側にライカさんとフラットルテさん。さらに外側にハルカラさんとロザリーさん」

そこまで指示を出して、キュアリーナさんは別案を思いついたのか、右手を口のあたりに当てて検討《けんとう》するポーズをとった。

こういう時はプロのひらめきを尊重したいな。

「ロザリーさんは右上に四角い枠を作って、そこに入れることもできますが、どうしますか？」

学校の卒業アルバムの撮影で欠席した人がなるやつ！


「普通に全員入れてください！　余計な趣向は必要ないですから！」

ウケ狙いの要素は入れなくていい。

「それはわかってます。ですが、ロザリーさんは悪霊なので、全身をみんなと同じ空間に入れて描こうとすると、どうしても不気味な絵に傾《かたむ》きがちで難しい……。ゲゲゲゲゲ……」

「それはそうかも！」

たしかにただでさえ不気味な絵を描くのが得意な画家に、本物の霊を入れて、ハートフルに描いてくださいというのは難しい注文だったか……。

あと、一般的な家族の絵に幽霊は入らないので、ややこしい点はあるんだろう。

「しかも、それだけじゃなく、ミミックがいますよね。ゲゲゲゲゲ……」

ちょっと苦しみのこもったゲゲゲが聞こえた。

もちろん、ミミックのミミちゃんも大事な家族なので連れてきている。

「ミミックが口を開いていると、ロザリーさんとの相乗効果で余計に不吉な印象を出しています。

ダンジョンっぽさが出ます」

「それもあるな……」

案外、この一家、幸せそうに描くハードルが高いのか。

「大丈夫です、皆さん！　アタシが悪霊っぽくなく、もっと接しやすい雰囲気の表情を作ります！　ええと、ほら……守護霊！　守護霊みたいな感じで！」

守護霊を見たことがないので詳しくはわからないが、ここはロザリーを信じよう。

「邪悪《じゃあく》な要素は入れないように努力するので、モデルの方もそういった要素を顔に出さないように気を配ってください。クラゲゲゲ」

邪悪な要素を顔に出そうと考える人なんて、いないと思うけどな……。

「アズサさん、わずかに邪悪な要素が出そうになっています。もっと清らかに。ゲッゲッゲ」

そう考えていたら、すぐにダメ出しが来た。

「えーっ！　絶対にそんなことないって！　ちゃんと笑って立ってるって！」

「ファルファさんとシャルシャさんは清らかです。それを真似《まね》してください」

「ママー、負けないで！　ママならできるよ！」

「母さんの心が本当はきれいなことをシャルシャも知っている」

「フォローされると、普段は邪悪みたいじゃん！」

そりゃ、ファルファとシャルシャと比べれば、この話には裏があるんじゃないかとか、これは警戒したほうがいいなとか考えることもあるよ。でも、私が二人みたいに純真だったら、まあまあ怖いよ。

引っかかるものを感じながらも、私はモデルとして動かないようにじっとしていた。

それでも主役のはずのサンドラとフラットルテがしょっちゅう動いて、キュアリーナさんに注意されていたけど。

サンドラは子供だから、じっとしてるのが苦手で、フラットルテは単純に落ち着きがないんだろう。

「私、土に入っていれば、いくらでも動かずにいられるわよ」

「それはまた変な絵になるからダメだよ！」

「本来、動くための姿なのに、動いちゃダメって言われるなんて動物は複雑ね」

言いたいことはわかるけど、耐えてほしい。

「静止するのは疲れるのだ。動かないのがいいなら、コールドブレスで全部凍らせれば楽なのだ」

「乱暴な発想すぎる」

キュアリーナさんが「全員凍ってしまうと、自然な表情じゃなくなるので困ります」と却下した。

「それと動いて困るのはフラットルテさんなので、フラットルテさんが凍らないならあまり意味がないです」

「しょうがないのだ！　ブルードラゴンは動いてナンボなのだ！」

「おや、しゃべってる時のほうが動いてないですね。そのまましゃべっててください」

こんな調子で、小さな問題はありつつも、作業は少しずつ進んでいった。

三日後、もう家族で並んで立っている必要はないとキュアリーナさんに言われた。

「あとは一人で孤独に作業をしていくこともできます。が、本人の確認をしたい時もあるかもしれないので、このあたりに逗留《とうりゅう》したほうが無難です」

「じゃあ、空いている部屋を使ってください」

私たちもいい絵のために妥協したくはない。


そして、十日後。

私たち家族は完成した家族の絵の前に集まっていた。

そこには満ち足りた家族が描かれている。

そしてサンドラの頭には可憐なあの花が輝いている。

「いいわね。本物の花よりよく描けてるんじゃない?」

サンドラが腕組みしながら笑っている。

そのサンドラの頭にはもうあの青い花はない。

咲きだしてから、二週間はとっくに過ぎている。花は本来の役目を終えたのだ。

だけど、サンドラの元気なところは花と一緒に消えたりせずに、ずっと続いている。

こんなにもサンドラが明るくなったよということをあの花は教えてくれたようだ。

入学記念や卒業記念ってものが私たち家族にはないから、記念日がわかりづらい。

だから、この家族の絵はいいきっかけになってくれたと思う。

ライカなんかは完成を喜んでいるというより、本当に美術館で絵画を鑑賞するみたいに、顔を近づけて細かいところまで確かめている。

「家族を代表してお礼を言うよ。ありがとう、キュアリーナさん。本当に素晴らしい一枚です」

私は後ろで見守っていたキュアリーナさんのほうに声をかけた。

だが、彼女の様子がおかしい。

やけに寒そうにふるえているような……。

「幸せな絵を描いたことで、体に拒否反応が……。グゲゲゲゲ！　グゲゲゲゲッ！」

「どんだけ明るい絵が苦手なんですか！」

「ぎゃ、逆に考えてください……。それだけ幸せな絵ということ……。ウウウ！　ウウウ！」

「理屈ではそうとわかっても、作者の反応がそれだと喜びづらいわ！」

「苦痛が必要……。そうです、ミミックに噛んでもらえば中和ができる。フゲーッゲゲゲ！」

キュアリーナさんはミミちゃんにかじられるために本当にミミちゃんの部屋に行ってから、帰っていきました……。

She continued destroy slime for 300 years

魔王と合宿をした

「はぁ……」

これで十度目のため息だなと頭の中で思った。

といっても、ため息を吐《つ》いてるのは私じゃない。幸《さいわ》い、そんなに物思いにふけるような事情はない。

ため息はペコラによるものだ。

今日のペコラはやけに思わせぶりなため息を吐く。狙《ねら》っているのか、無意識なのか、どっちかわからないけど、ため息が多いのは間違いない。

その日、私はペコラのお茶会に呼ばれていた。

場所はヴァンゼルド城の中庭に置かれているテーブルだ。今回のために用意したのか、元々、この庭にテーブルが設置されてるのかは不明。

テーブルの上にはお菓子《かし》とティーセットが載っている。

お茶はおいしい。お菓子もおいしい。

優雅《ゆうが》なようだけど、庭の植物に毒々《どくどく》しい色のがいくつかあるので、見栄《みば》えはそうでもない。人間を襲うようなのも生えていると思うし。

植物は別としてもそれ以外の点では、私はいかにもお茶会という環境でペコラとお茶をしているのだ。

もっとも、トークはあまりはずんではいない。

「ねえ、近頃《ちかごろ》の仕事はどんな感じ？」

「そうですね。ぼちぼちです」

「最近の魔族領の天気はどう？」

「そうですね。ぼちぼちです」

「……税収は増えてる？」

「そうですね。ぼちぼちです」

こんな調子で、話題がすぐに途切れてしまう。

私にどんな人からでも話を引き出すような高度なトーク技術があるわけではないが、これはいくらなんでもペコラ側の問題だと思う。

ううむ……。お茶会って会話だって大事な要素だと思っていたんだけど、食事のほうしか楽しめない状態になっている……。

お菓子はおいしいからいいけどさ、それだったら一人で黙々《もくもく》と食べたいな。

現状、ペコラが食事に集中する邪魔をしているみたいな形になってるぞ。

だが、「何か心配事でもあるの？」なんて尋ねたりはしないからね。

それだけは絶対にしない！

ペコラの狙いはそれな気がするのだ。

私から尋ねてしまうと、何か依頼された時に断りにくい空気が出る。それを利用して、何かやらせるんじゃないだろうか。むしろ、それ以外に考えられない。

この思わせぶりにもほどがあるため息に何の意図もないとは思えない……。

ペコラは必ずなんらかの企《たくら》みを持っている。

ここは私も鈍感に振る舞い続けるぞ。私だって、そんなに何度も騙《だま》されたりはしないからね。


「はぁ……」

あっ、本日十一回目のため息だ。

ため息が多いねということも言うまい。

長い人生、たくさんため息を吐く時だってあるからね。いちいち問いかけないぞ。

「いやあ、このケーキおいしいな～」

とことん気づいてないキャラで行く。これが私の処世術だ。

「スポンジ部分がしっとりしてて、手を抜いてないっていうのがわかるよ～！」

「はぁ……。はぁ……」

今度は二度ため息を繰り返した！　これまでにないタイプの反応だ！

「あら、ため息も十三回目になってしまいましたね」
「数えてたんかい！」

つい、私のほうからツッコミを入れてしまった。でも、これは具体的に尋ねたわけじゃないからセーフだと考えよう。

「十三というのは魔族にとっては縁起のいい数字ですからね。十三までは数えておこうと思っていたんです」

「私からすると縁起悪い気がするけど、そこは文化の違いかな」

でも、前世で十三が不吉とされていたのはあくまでもヨーロッパだった気がするので、日本なら気にしなくてもよかったのかもしれない。どちらかというと、奇数のほうが縁起がいい傾向が強かったような。

数字で縁起を担《かつ》ぐなんて、その程度のゆるふわな問題なのだ。

「そして、十三回もため息を吐いたので、ここは思い切ってお姉様に相談することに決めました」

げっ！　そっちから言うスタイルか！

しかし、何も相談するなと言うのもひどいので、対処法がない！

「本音を言うと、お姉様のほうからため息ばかりで何かあったのか聞いてほしかったんですけどね。怪しいぞと思われていたようで、避けられてしまいました」

「私の危機察知能力、なかなか優秀だった！」

ペコラがむすっとした顔で、「そういうところはお姉様らしい役割を果たしてくださいよ」などとダメ出ししてきてるけど、そこまで献身的に対応してたら体がいくつあっても足りない。

臣下もたくさんいるんだし、主にそっちのほうで解決してほしい。

「実はですね……はぁ」

あっ、またため息が来たぞ。

「しばらく休もうかと思っているんです」

ペコラはそれなりに悩ましい表情で答えた。

休む？　まさか、三連休でどこか旅に行くっていう意味じゃないよね。

だとしたら……魔王としての政務を止《と》めちゃうってこと？

それは本当に大事だ！　相談だってしたくなる！

しかも、それなら臣下に気楽に相談することもできないしな。

噂《うわさ》が広がるだけでも、魔族の社会に激震が走る。

立場が上すぎると、相談すること自体に政治的な意味が発生してしまうのだ。

私に相談しようという判断になることも理解できる。

「ねえ、ペコラ、魔王の仕事にそんなに疲れちゃったの……？」

でもペコラは、言ってることがよくわからないという顔をしている。

「いいえ、わたくし、魔王の仕事にとくに不満はありませんよ。楽しく、面白《おもしろ》く、統治しています」

おや？　私の懸念《けねん》はハズレらしい。

ここまで相談のおぜん立てをしてウソをつくことはありえないので、魔王を辞めたくなっているというような大きな問題ではないようだ。

じゃあ、なんだ？　ほかにペコラがやっている活動といえば……。

割とあっさりと思い浮かぶものがあった。

魔法配信による、なんたらチューバーみたいな活動！

世の中には、なんたらチューバーの収入が多くて、それが本職になる人もいるかもしれないが、ペコラの場合、魔王の仕事が副業になることは絶対にない。その点、魔法配信をいつやらなくなっても構わないのだ。

とはいえ、できれば続けたくても、忙しくて両立できないだとか、悩みはあるのかな。

そういうことなら、すぐにこれだという答えは出せないけど、話を聞くぐらいならしてあげられる。

「魔法配信を休みたいんだよね。仕事が忙しいから？　それとも、ほかのトラブルでもあった？」

今度も、ペコラはよくわからないという顔だ。

「いえ、魔法配信は継続的にやっていくつもりです。登録者の伸びもいいですしね」

「そうなんだ……。じゃあ、休もうとしてるものって何？」

もっと地味な趣味があるのかな。お菓子の店巡りだとか。

ペコラの表情が真剣なものになる。

「それは、ずばりアイドル活動ですっ！」

「そういえば、そんなこともやってたな！」

「そうです！　わたくしはアイドル活動を休止しようと考えています！」

ペコラの声のトーンがそれまでより二段階ぐらい大きくなっている。ペコラが真面目《まじめ》にそのことを考えているのは間違いない。

ただ、私のほうはというと――

はっきり言って、どうでもいい！

そう思っていた。

いや、ふざけているとは一切《いっさい》考えないけどさ、休むも何もアイドル活動って元々不定期なものだろう。年に二回、魔族領の各地を回ってライブツアーをしたりしているわけではないはずだ。そんな高頻度のものなら、もっとアイドル活動の話が聞こえてくるはず。

その間隔が少し長くなるだけだとしたら、好きなようにしたらいい。

ペコラがアイドルをやっているのを私が見たのは、たしか魔族の音楽祭の時だったな。

新しい方向性を模索しだしたばかりのククが招待されて、私たちもついていったのだ。

その最後にペコラがアイドルとして出演していた。

イヤガラセみたいにベルゼブブまで途中で参加させられていた。

ペコラたちのパフォーマンスは素人目《しろうとめ》から見て、全然悪くなかったと思うけど、音楽祭用の出し物なら、多分、一年に一回のことだろう。それぐらいのペースならたいした問題じゃないし、魔王の政務が忙しいならライブを二年に一回にしたっていいと思う。

「あっ、お姉様、音楽祭の時だけのことなら、どうでもいいだろうという顔をしてますね～」

ペコラがむすっとした顔になる。

よく私の考えていることまでわかったな。

「でも、なかば事実なんじゃないの？　まあ、悩みは聞くから、好きなだけ語ってもらえばいいけど。どうせ、ほかにできることもないし」

私はそう言いながら、ケーキを口に入れた。

「お姉様は甘すぎます！　わたくしはこれでも全十箇所の公演をしたりしてたんですよ！」

「思った以上にしっかりツアーもやってたんだ！」

「ええ。親しみやすい魔王を目指していますから。魔法配信をはじめたのもそれがきっかけです」

それは魔王の個人的なファンは増えるかもしれないけど、総合的にプラスになるんだろうか。

「各地での公演は今年もやるつもりでした。ですが、練習中にわたくしは大きな壁にぶち当たってしまったんです……」

「壁？　ダンスができなかったとか？　ノドの調子が悪いとか？」

アイドルの悩みっていうと、それぐらいしか思いつかない。ペコラが真の意味でのアイドルかよくわからないけど、近いものであることは確かだと思う。

「お姉様、違います。もっと深くて本質的な悩みです」

ダンスでも歌でもないとしたら、何だ？


「これまでのように輝けていないと感じたんです！」

「抽象的《ちゅうしょうてき》でよくわからない！」


「ほら、輝けていないアイドルは、ファンの皆さんに勇気をあげることもできないじゃないですか」

「『できないじゃないですか』と言われても、よくわからない」

前も後ろも抽象的だからな。

的確なアドバイスは不要だろうから、聞き手に徹すればいいか。

「これまでのわたくしは歌やダンスに課題もありました。それでも、輝けてはいました。それがなくなってきたと感じたんです」

輝いていた部分は間違いのない前提なんだな……。

「このままじゃ、ファンの皆さん――ペコリストの力にはなれません」
「自分のファンを表す独特の呼称が出てきた！」

想像してたよりもアイドルとして完成されている。

「それでさ……輝けてないと思った理由はわかるの……？」

私はペコラに続きを促す。理由がわかれば　解決する方法も出てくる。

「なんとなく察しはついています。わたくしの中から初期衝動がなくなってるんだろうなって。ほかの理由はないと思います」

「しょきしょうどう？」

よくわからない概念が飛び出してきた。

「わたくしもこの活動をスタートさせてから、それなりの年月が経《た》ちました」

「えっ？　そんなに芸歴長かったの……？」

魔族は長命だから二十年や三十年やっている可能性はいくらでもあるのか。

普通の人間はなかなか三十年アイドルは続けられないからな。

「長くやっている間に、デビュー当初はあった情熱みたいなものが減ってきちゃってるところはあるのかなと。歌やダンスはデビューの頃より明らかに上手《うま》くなっているんですが……何か大切なものが欠けているように感じるんです」

なかなか解決が難しそうな問題だ。

「長くやっていれば、そりゃ、デビューしたての新鮮さは失われるだろうしなあ……」

むしろ、芸歴が長くて新鮮というのも、それはそれで問題があると思う。

「初期衝動がなくなって、歌にも緊張感が抜けています。これでは、輝くことができません！　初期の『とことんダークネス』みたいな輝きがありません！」

曲名が闇《やみ》に満ちているので、輝くという言葉がわかりづらくなっている。

「輝けていない以上、ペコリストの皆さんを満足させることはできません。ここは一度休むしかないかなと考えているんです」

声のトーンからして、ふざけているようには聞こえない。

長くやってこられたということは、それについてきたファンもたくさんいたわけだろうし、ファンもペコラの熱量が本物だとわかっていたのだと思う。有名人がちょっとした趣味でやっているというのとは違うと感じていたのだろう。

「そっか。じゃあ、活動休止もしょうがないかもね。またとことん輝ける自信ができたらやればいいよ。ファンは百年でも二百年でも待っててくれるって」

「いえ、三年も休めば復活するつもりなんですけどね」

「割とすぐ復活するつもりだった！」

魔族の感覚で三年って、こんな深刻な話をするほどのことじゃないのでは……。人間でもその程度の休止期間に入る歌手はたくさんいたぞ。

「休止はもう決めているんですが、休止前の公演を盛大に行おうと考えています」

ペコラは元気に笑って言った。どうやら最初から答えは出ていたようだ。

「なるほど。一区切りつける時に悪くはないかな」

「はい！　すでに最高のわたくしを見せるために、合宿のスケジュールもとってあります！」

「合宿か……。なかなかガチだな。……うん、妥協なくやったらいいんじゃないかな」

ペコラがカップのお茶を一口飲む。これでお話は終わったのかな。

姉役としての使命が果たせたのならいいことだ。

「そこで一つ、お姉様にお願いがあるんです」

ん？

流れが変わった気がするぞ。

「お姉様も一緒に合宿に参加していただけませんか？」

「なぜ、そうなる!?」

その日一番の声量で私は叫んだ。

「おかしいじゃん！　私は歌手でも何でもないんだから合宿も必要ないでしょ！」

私が何かを磨いたり成長したりする必要は全然ない。

少なくとも歌のトレーニングを私がしてもしょうがない。それよりは本業の魔女に必要な、薬に使えそうな植物でも採集させてほしい。

「たしかにお姉様にとっては無意味なものだと思います。薬草の知識が増えるわけでもありませんし」

あっ、そこは素直に認めてくれるんだ。

「ですが、敬愛するお姉様と共に合宿に入ることで、わたくしは新たな輝きのチャンスが見つけられるかもと思うんです！　お願いします！」

「どんな理屈だっ！」

しかし、ペコラがふざけてないということははっきりとわかった。

というのも、いつもなら、策を弄《ろう》して私が断れないように外堀を埋めてくるのに、今回は正面からのお願いなのだ。

表情にも余裕めいた笑みがない。

ううむ……。むげに断るのも私の罪悪感を刺激する……。

「期間はどれぐらいなの？　十日や二週間もやるのは嫌だよ」

「期間は四泊五日です。わたくしも魔王の仕事があるので、あまり長くは無理なので」

それなら我慢《がまん》できる範囲か。ていうか、十日もやるのは嫌という意味のことを言った手前、五日と言われて拒否するのって変だよね。

私は力なくうなずいた。

「わかった。合宿に行けばいいんでしょ……」

「はい！　お姉様、ありがとうございます！　妹のピンチには必ず駆けつけてくれるんですね！」

ぱっと、ペコラの顔が明るくなる。

それも本当に感激しているようで、すべて演技ですというといういつもの感じとは違う。

「事前に要望を言ってるんだから、駆けつけるって表現は違うだろ。ただし、合宿に行きはするけど、ものすごく厳しいメニューだったらやらないからね。参加するとまでは言ってないから」

私はあくまで付き添いだ。


「それで十分です！　お姉様がそばにいてくれるだけで、わたくしはいつも以上に輝けます！」

「もう、輝くって言いたいだけな気がしてきたよ……」


こうして私はアイドル（？）の合宿に顔を出すことになったのでした。

シンプルにお願いをされると、どうも断りづらいんだよね……。

◇

後日、私は再び魔族領にやってきた。

ヴァンゼルド城からそれぞれワイヴァーンに乗って合宿場所を目指す。ペコラも隣のワイヴァーンに乗っている。

「ねえ、合宿場所ってどこなの？」

合宿って缶詰めでの特訓みたいなものだから、娯楽や誘惑の少ない辺鄙《へんぴ》な土地ならどこでもいい気がしている。

「さほど、ヴァンゼルド城から離れていません。ワイヴァーンで一時間もしないところにあるオーク帰りの荒野です」

「オーク帰り？　変わった名前の土地だね」

「伝承によると、オークがこの土地はあまりにも何もないから住めないということで、そこまで来たところで引き返したとか」

その話だけでも辺鄙なところということはわかった。

しばらくワイヴァーンで飛んでいると、たしかに木すらろくに生えていない荒野にやってきた。

その荒野の中でも何十メートルかはありそうな崖《がけ》のすぐ真下。

そこに建物が一つだけあった。

まさに研修施設っていうような立地だ。


無事に到着すると、ペコラは部屋でささっと着替えてフロントみたいなところに出てきた。

「おお～、本当に特訓するつもりなんだ」

私がそう言ったのは、ペコラの格好がいつもの王族らしいものとまったく違っていたからだ。

オシャレ要素が全然ない布の服と短パンみたいなのを穿《は》いている。

こんな姿のペコラを目にしたことは一度もないので、なかなか新鮮だ。

「はい！　遊び心を捨てるためにも、こんな服にしました！　さて、着いて早々ですが、メニューを開始したいと思います」

「最初は歌？　それともダンス？」

私が考えつくのはそのあたりだ。

それとポンデリがＣＤみたいなものを作ったから、いわゆるレコーディングもやれなくはないんだよね。ペコラも録音をする可能性はありそうだ。


「まずは荒野を一時間走ります！」


えっ？　走るの……？

いや、アイドルにスタミナは必須なのかもしれない。単独ライブであれば長時間ステージに立って動きまくるわけだし、虚弱体質《きょじゃくたいしつ》では無理だろう。

もっとも、それぐらいのスタミナはペコラは最初から持っている。なにせ、魔王だし。

それとも、アイドルは普段とは違う体力の使い方をするのかな。

「アイドルも体が資本ですから。よかったら、お姉様も軽くついてきませんか？」

「そうだね。散策を兼ねて、軽くついていくよ」

部屋でじっとしていても暇になりそうなので、体験程度の気持ちでやってみる。

「では、行きましょう！」

早速、ペコラが走り出した。

ランニングは、文字どおりのランニングだった。

とくに変わったこともない。殺風景な土地を延々《えんえん》と走る。

ただそれだけ。

何か面白いものを求めてやることではないから、これでいいのかもしれない。

普通の人よりはるかにハイペースで走っていたので、ペコラはかなり汗をかいていた。それでも速度を落としたりはしなかった。

私はというと——疲れそうだったので、途中で抜けた。

このあとの合宿もほどほどにやろう。

私の仕事は横や後ろでペコラを見守ることだと思うので。

あまりにペコラと同じ状態に近づきすぎるとそれができなくなる。

見守るためには一歩下がっておくことが大事だ。


建物の前でビンに入っていたジュースを氷水につけて待っていると、汗だくのペコラが戻ってきた。

「ふぅ……た、ただいま戻りました……」

「ペコラ、お疲れ様。はい、ジュース。少し休もうね。休憩も大事だからね」

「ありがとうございます、お姉様……」

ビンを受け取ると、ペコラはコルクみたいな栓を外してごくごくラッパ飲みしていた。

魔王でもそんなふうにドリンクを飲むことがあるんだな。

普段のペコラからは考えられないような振る舞いだったので、私はその様子をずっと見続けてしまっていた。

「おいしいですね～。あれ、お姉様、どうかしましたか？」

「いや、ペコラもお行儀を気にしない時があるんだね」

「はいっ！　むしろ、そういう殻を破るためにも、静かなところで合宿をする必要があるんです！」

なるほど。魔王ペコラを知る魔族だらけのところで、こういうことはしづらいだろう。本人が殻を破ると言っても、周囲が許さないこともある。

だとすると、こんな形の合宿も意味があるのかもな。

「さて、ペコラ、走ったあとは何をするの？」

ヴォイス・トレーニングみたいなことをするのなら一度、見てみたくはある。

「次のメニューは――瞑想《めいそう》です！」

「め、めいそう？」

迷走ではないよな。だったら、瞑想しかありえない。

「そうです。魔族の神殿から名僧をお呼びして、空いている部屋で瞑想をします」

「名僧による瞑想……。なんかややこしいな」

「走ったあとなので体も休めないといけませんからね。輝くためには精神修養も欠かせません！」

ペコラがはきはきとした口調で言った。

合宿というのも奥が深いな……。


その瞑想は椅子《いす》に浅く腰かけて、静かに目を閉じるというものだった。

これなら、疲れた体でも簡単にできる。

ただ、ぽんと肩を軽く叩《たた》かれた。

単眼の魔族の名僧に。

「今、楽ができると思っていましたな。弛緩《しかん》した空気が漂っておりましたぞ」

しっかりバレている！

「は、はいっ！　わかりました！」

「瞑想は気合いを入れればいいというものではありませぬが、だらけて座るのも違いますぞ。よくよくご注意なさいませ！」

そして、もう一度、軽く肩を叩かれた。

なお、叩いてるものは棍棒《こんぼう》なので、普通の人間の方は真似《まね》しないでください。私やペコラじゃなかったら弱く叩いてもダメージになる危険がある。

でも、これなら真面目モードのペコラが叩かれることもないだろう。

――と思っていたのだけど、ペコラは私よりはるかに叩かれていた。

「魔王様、気が静まっておりませぬな。瞑想は気合いを入れるものとは違いますぞ」

「うう……。なかなか難しいですね」

そうか。じっと落ち着いて過ごすのって、アイドル的な活動とは真逆なのか。アイドルって集中力は高そうだから、こういうのは得意だと思っていたんだけど、そうじゃないらしい。

まあ、なかなかできないことをやるからこそ特訓の意味もあると思うので、しっかりやっていってほしい。

瞑想は個人的にはなかなかよかった。

たまにはこういうのも悪くないな。

周囲に宗教関係者は多くいて、メガーメガ神様や松の精霊のミスジャンティーはまさにそれに当てはまるんだけど、瞑想をしますと言われてもいまいち信用が置けなかった……。むしろ、私より向こうのほうが雑念多そうだし……。

ペコラも体力を回復したらしく、走り終わった時のような疲労も見せていない。

「さあ、次は何？　そろそろ歌う番かな？」

「次は崖登りです！」

「ああ、そういえば崖登りもあったな――ってならんわ！」

よくある種目みたいにカジュアルに言われても困る。

「この施設に来たら崖登りは定番ですから！　往年の名アイドルは誰《だれ》しも自分だけの力で崖を登ったものです」

「そんなバカなと思うけど、魔族の中ではそうだと言うなら、受け入れるしかない」

研修施設から外に出ると、たしかにすぐ真ん前に絶壁と言っていい崖がそびえている。

これを登るためにここに建物を建てたというのは、あながちウソではないようだ。

「この崖を手を使って登っていきます。空を飛ぶのは当然禁止です。お姉様もせっかくだからどうですか？」

「…………遠慮する」

せっかくだからってノリでやることではない。私が落ちても無事だと思うけど、そういう問題ではない。安全だからといって崖に挑戦したりはしないのだ。

「では、わたくしだけでいきますね！　輝く！　輝く！　輝く！」

ペコラは崖に手をかけると、足を置く場所を見つけて、ゆっくりと上がっていった。

私は地上からその様子を見守っていた。

「何かに打ち込むのは悪いことじゃないけど、何かが間違っている気がする……」

とはいえ、ツッコミを入れまくれる空気ではない。ペコラはこれが正しいと信じているし、アイドルみたいなものは精神論が重要な可能性もある。

でもなあ……何かがおかしいと思うんだよなあ……。

「――そうなんですよ。間違っているんです」

後ろから声をかけられたと思ったら、見知った顔がそこにいた。

「ファートラじゃん！　ここにいたんだ！」

「声のトーンを下げてください。魔王様も私がいることは知りません。そうっと来ているんです」

たしかに隠れているのでなければ、もっと早くに顔を出していそうなものだ。

「ベルゼブブ様に様子を見てこいと言われましてね。さっきも、空いている部屋で仕事をしていました。魔王様も空き部屋をいちいち覗《のぞ》いたりしませんから」

「そういうことか」

ベルゼブブはペコラのことが心配だったのだろう。それでお目付け役を派遣したというわけだ。

でも、ファートラがはっきりと間違っていると言っていたことが気にかかった。

「ファートラ目線でも、今のペコラって変なの？」

「おふざけではなく全力なのは悪いことではありません。ですが、アプローチがおかしいです。偉い分、堂々と指摘できる人も限られてきますしね」

ファートラの目はどんどん高度を上げていくペコラに向けられている。

「もし、アズサさんのほうでこれは絶対に違うぞと思うことがあったら、言ってあげてもらえますか？　私やベルゼブブ様が言うよりはるかに効くと思いますので」

「別にそれはいいけど。どういうふうに言えばいいんだろう……？」

「そこはアズサさんにお任《まか》せいたします。アズサさん自身の言葉でなければ、結局なかなか届きませんからね。私たちはしょっちゅう言ってるから、いつもの小言《こごと》になってしまうんですよ」

そこまで言うと、ファートラは「仕事をしてきますね」と研修施設に帰っていった。

私も課題を与えられてしまった。


「どうしたもんかな……。なんか変だよって声をかけても、どう変なのかって言われるのがオチだしな」

私のほうに確固とした意見があるわけじゃないので、現時点では何も語れない。せめて、自分の中で言語化ができないとどうしようもない。

もうしばらく様子を見るか。

私が何も思わないのであれば、それぐらい些細《ささい》なことなんだと考えることもできるし。

私が一人で考え込んでいる間にペコラは崖のかなり上にまで到達していた。

やはり魔王。基本的なスペックが高いから、クライミングも上手い！

ペコラは当たり前と言えば当たり前だけど翼を使うというズルもせずに、やがて崖の頂上にまでたどり着いていた。

上から何か叫んでいるようだ。おそらく「やりましたー！」などと言ってるんだろう。

私も「よかったねー！」と叫んでみた。

その日のペコラのメニューは崖登りで終わりになった。

夕食のあとは自由時間ということらしい。私は最初からずっと自由みたいなものだから、あまり変わりがない。

いつもならペコラがいちゃついてきたりしそうなものなのに、その日のペコラはノートを出して、言葉をやたらと並べていた。

何をしているのかと聞いてみたところ、曲の歌詞を考えているらしい。

「アイドルも大変だね」

私は率直《そっちょく》な感想を述べた。やらないといけないことがたくさんある。歌うことと踊ることができればそれでOKと考えていた私は浅はかだった。


「これもペコリストの皆さんのためですから」


ファンのことを第一に考えている、そこは素晴らしいと思う。

思うはずなのだけど……。

どこか引っかかる。

しかし、ファンのことなんてテキトーに扱えばいいんだよって言うのが正解ってことはありえない。

じゃあ、いったい、何だろう?

その日の夜もペコラは私のベッドに入ってきたりすることもなく、お行儀よく自分のベッドで眠った。お行儀がよすぎて、かえって怖い。

よくできたペコラを見てると、どこか寂《さび》しい感じもある。

もしかして、私もほどほどに迷惑をかけてくれればいいのにと思いはじめてないか……? それはそれで違うぞ……。地獄への入り口だぞ……。

ペコラのことを気づかうのは大事だけど、ペコラを甘やかすのは違う。そこは間違えないようにしなければ……。

◇

二日目もペコラは同じようにひたむきに努力していた。

三日目も同じように走ったり、崖に登ったりしていた。

崖から戻ってきたペコラに私は冷やしていたビンのジュースをまた渡す。

すっかり、マネージャーみたいになってきた。

「ありがとうございます、お姉様……。岩肌に手をかける技術も上達してきました」

「下手《へた》になるよりいいけど、そこで成長する意味はあるのか……?」

「じゃあ、次は瞑想。それから、ランニングですね！」

その時――ようやく私は何に引っかかっていたかがわかった。

引っかかっていたものが解けた。

「昨日もけっこう叩かれちゃったので、気を引き締めて臨もうと思います！」

これは止めないと。

「ペコラ、瞑想は中止しよう」

「へっ？　疲れているから走るのを休めというならわかりますけど、瞑想は問題ないですよ」

「今のペコラが参加しても、どうせ棍棒で叩かれるだけだよ。ペコラが肝心《かんじん》なことを理解してないもの」

ペコラはどうして私にそんなことを言われるか、わかっていないようだった。

「お姉様！　わたくしはアイドルとしてステップアップするためにここで逃げるわけにはいかないんです！　合宿メニューは厳しいですが、だからといって体を壊すようなものではありませんし、止められる理由はないです！」

うん、私も長らく答えが見つかってなかったのだ。

ましてペコラ本人が気づけないのもしょうがないだろう。

「ペコラ、合宿に来てから、全然笑えていないんだよ」

私はペコラの両肩に手を置いた。

「そこがいつものペコラと決定的に違う！」

「あっ……ああっ！」

ペコラが驚いたような声を上げた。

私の言葉にペコラも何か感じるものがあったらしい。

そして、この反応ということは、ペコラ自身も笑えていなかったことを知っているのだろう。

「いつものペコラは……悪だくみも多かったけど、すごく楽しそうだったんだよね。だから、周りも楽しめていたところがあった。でも、今のペコラはそれが足りないんじゃないかな」

もちろん、技術的な成長は練習で磨かないといけないだろう。下手なままでいいなんてことはない。

だけど、ペコラが求めているのは、そういうのとは違ったはずだ。

「真面目にやることと、楽しんじゃいけないってことは違うよね。言葉にすれば当たり前だけど、この数日のペコラはそれが混ざっちゃってるんじゃないかな？」

ペコラはぱんぱんと両手で軽く自分の頬《ほお》を叩いた。

それから小声でぼそぼそと「よーし、やるぞ」とかつぶやいている。

切り替えはそれで完了したらしい。

「アドバイスありがとうございます、お姉様！」

ペコラにはもう満面の笑みが浮かんでいたからだ。

「ちなみに参考になるかどうかはわからないから、ペコラで判断してね。所詮《しょせん》、素人《しろうと》の意見だし。ファンの意見ですらないし」

「いえいえ。わたくし、視野が狭くなっていたようです。輝こう、輝こうとして自分を鍛《きた》えることばかり気にしてしまっていました」

言葉だけだとまだ硬く感じるけれど、もうペコラの表情はいつもどおりのものに戻っている。

「じゃっ、切り替えもできたことですし、瞑想に行きますね♪」

ペコラはスキップしながら瞑想の部屋に入っていった。

今回は、ペコラは一度も棍棒で叩かれなかった――と言えればきれいに収まるんだけど、そんなことはなかった。何度も名僧に棍棒を振り下ろされていた。

「魔王様、瞑想中に鼻歌はダメですぞ。リラックスしすぎはいけませせぬ」

そりゃ、そうだ。確実に叩かれるやつだ。そもそもマナー違反ですらある。

「てへへ～♪　いいメロディーが頭に浮かんじゃったんですよね～♪」

ペコラは雑念を消さずに残し続けることにしたらしい。

そんな調子でゆるふわな瞑想の時間は終わった。

「ペコラ、次はランニングだと思うけど、どうするの？」

「中止にします。疲れるから嫌です」

理由が「疲れるから」というのがいいな。私の主義にも合致《がっち》してる。

「そうそう、そんなゆるいぐらいでいいよ」

ファンだってアイドルがボロボロになるのを望んではいないだろう。

「そもそも、ランニングするより歌の練習するほうが有意義ですしね～♪」

うんうん、そうだねと言いそうになったけど、そうはならなかった。


「だったら、最初からメニューは有意義なものにしとけばいいでしょ！」


この合宿、根本から何かがおかしかったんだよな……。

やっぱり、基本は歌とかの練習のはずなんだよ……。ペコラに体力がないわけもないから、運動したってしょうがないんだ。

その時、私たち以外の足音が聞こえた。

「魔王様、どうやら、何かつかめたみたいですね」

ファートラが入ってきた。

あれ、隠れているんじゃなかったのかな？

「あらら、ファートラさん、いらっしゃってたんですね。ということは、ベルゼブブさんが何か言いつけたということでしょうか？」

「そんなところです」

ファートラはすぐにバラしてしまった。

「そして、私がいることがバレて不利になるのは、私の上司ですので」

ペコラがにやにやしている。

「なるほど〜。では、ベルゼブブさんにはおしおきが必要ですね〜」

あ〜あ、もっと命令に忠実な子を派遣するべきだったな。もうベルゼブブがいじられるのは確実だ。そこはとことんいじられてもらおう。

「一応、もう一泊あるけど、合宿は続けるの？」

「はい！　お姉様、今日はパジャマパーティーをしましょう！」

「………………うん？」

どうもおかしな方向に話が進んできているぞ。

「こんなこともあろうかとパジャマも持ってきているんです！」

「ええと、それは私は不参加っていう選択肢は――」

「ダメです♪」

ペコラに腕をつかまれた。

さっきまでいたファートラはもう離れたところにいた。

「私はそのあたりは関知いたしませんので」

逃げられた！

いつものペコラに戻るのはそれはそれで大変なんだということを実感しました……。

◇

ペコラが気持ちを切り替えたことで、悩みのほうはすべて解決した。

でも、イベントはそれで終わりじゃない。

そう、ペコラのライブが残っているのだ。

ライブの日、私は家族と共に会場である大型コロシアムに来ていた。

ペコラから招待を受けて、演奏がよく見える位置にある個室にいる。いわゆるＶＩＰルームだ。

前世で言うところのドーム公演というやつだろう。アイドルでなおかつ国家元首が歌うだけあって、観客はぎっしりと詰まっている。言葉にしてみると、国家元首がアイドルをしているって、かなりの異常事態だよね。

「ペコラさんの歌、楽しみ〜♪」

「こういう祝祭を為政者が行う時、民の視線を問題からそらす意図がある場合がある。今回はどうか」

ファルファと比べるとシャルシャがずいぶんうがった見方をしているけど、ペコラにそういう深い意味はないはずだ。でないと、輝いてないみたいな理由で悩まないだろう。

なお、サンドラは来るだけで疲れたのか、あまり興味がないのか、はじまる前に眠っている。

こういうライブって興味がある人しかいないのが基本なのだが、この家族は招待されているので例外的なのだ。

あと、ある意味、寝ている子がもう一人いる。

売店でお酒を買ってきたハルカラが開始前から酔いつぶれていて、それをライカが介抱していた。

「ううう……悪酔いしました」

「ハルカラさんはお酒のたしなみ方が下手すぎます……。しばらく横になっててください」

ライカもあきれているようだ。

「個室があてがわれると聞いて、それなら酔いつぶれても困らないと思いまして……」

そもそも酔わないでほしい。

でも、ライブのほうに興味がない家族の反応はこんなものか。

「ねえ、フラットルテ、ペコラみたいな吟遊詩人っているの？」

音楽といえばフラットルテが詳《くわ》しいので、試しに聞いてみる。

「ご主人様、これはまったく違います」

フラットルテの表情が少し硬くなった。

あと、なんか腕組みしている。

「吟遊詩人にもいろんなタイプがいますが、一つ共通していることがあります。楽器を演奏していることです。リュートは必須で、その他、いろんな楽器が入ります。しかし、この魔王の演奏は、所属メンバーの中に楽器を演奏している者がいません。なので、吟遊詩人に含まれることはないんです」

「なるほどね……。わかるっちゃわかる」

カスタネット一つだけ持ってロックバンドだと言ったり、リコーダーだけでオーケストラだと言ったりするのは、何か無理がある気がする。定義から外れているように感じるからだろう。

「かつてはそのように考えられていました」

「あれ……。この話ってまだ続くの……？」

もしかして、すごく長くなったりする……？

「姐《ねえ》さん、フラットルテの姉貴は吟遊詩人至上主義なんです。今の質問はちょっと……」

フラットルテほどじゃないけど、吟遊詩人にそこそこ詳しいロザリーが教えてくれた。やっぱり、よくない質問だったか。

「むっ、ロザリー、そんなことはないぞ。たしかに歌だけを歌う者は吟遊詩人にあらずという価値観が強い時代もあったのだ。だが、百五十年ほど前から『歌だって楽器じゃないか』という考えが出てきて、今ではパフォーマンス系の中の偶像系と認知されているのだ。だから、吟遊詩人で問題ないのだ」

なんか、本格的な定義論争みたいになってきたぞ。

「フラットルテ様も、吟遊詩人の音楽イベントに楽器の演奏がまったくできなくて歌だけを歌う奴《やつ》は出演するなと思っていた時代もある。だが、今ではそこまで極端な考えにはなってないのだ。それにパフォーマンス系目当ての奴《やつ》が、ほかの吟遊詩人を知るきっかけにもなるなら業界全体にとってプラスなのだ」

言っても通じないだろうから、心の中でつぶやいておくけど——完全にロックフェスにアイドルが出演するのはいかがなものかと思っていたロックファンだな……。

ロックもアイドルも詳しくないんだけど、不思議なことにそういう問題があったことだけは知っているんだよね。そういう記事だけ読んでしまったりするせいだ……。

そしていよいよ、ライブがはじまった。

薄暗いステージに魔法で照らし出される。

そこに派手《はで》でかわいい衣装に身を包んだぺコラが飛び出してくる。

「ペコリストの皆さん！　今日はとことん楽しんでいってくださいね～！」

ペコラの声はマイクのような音声を拡大するマジックアイテムでこっちにまでしっかり届く。

それに対して、客席から無数の野太い声が轟《とどろ》く。声というより地鳴りに近い。

「じゃあ、一曲目です。『真《ま》っ赤《か》な堕天《だてん》』！」

やっぱり曲名が怖い。

けれど、怖がる観客なんて一人もいなくて、会場はすぐ歓声に包まれる。

腕を振り上げる魔族たち。

歌を歌う魔族たち。

ここまで魔族たちが一体感を持って動いているのを見るのって貴重な光景だ。

『真っ赤な堕天』のあとも、『残酷に支配しちゃいます☆』『内臓も元気だぞー』『偶像崇拝運動』といった魔族らしい曲名の曲が続いた。名前の割に曲は圧倒的に明るい。

常にペコラのステージを見ていたわけではないので比較はできないが――


会場の盛り上がりは素晴らしいものがあった。


少なくとも、輝けないから活動を休止するという結論になるとは信じられない。

気づけば、そんなに興味がなさそうだったフラットルテも体を縦《たて》に動かしていた。なんだかんだで音楽のことは気にかかるみたいだ。専門外といっても、私よりはずっと詳しいだろう。

娘たちも歌を歌ったりしている。サビに当たる部分がわかりやすい曲が多いので、娘たちが口ずさむこともできる。

眠っていたサンドラもいつのまにか起きてステージを見下ろしている。体がいつのまにか上下していた。

音楽を聴く気があったかさえ疑わしかったハルカラも盛り上がっていた。

ただ、盛り上がったせいで酔いが完全に回ったらしく――

「うっ……。上がってきちゃいました……。ト、トイレに……」

「本当に製薬会社の社長なのかって疑問に思うぐらい、節制できないな！」

「我がついていきます。ハルカラさん、もう少しだけ、我慢してくださいね」

「ご、ご迷惑を、お、おかけしま……」

ハルカラはライカに伴われて消えていった……。

吐《は》き終わった後のハルカラは元気に戻ってきたので、もう最初から吐いておけばいいのではなかろうか。

うん。さほどファンじゃないこの一家が盛り上がってるなら、通称ペコリストの熱狂は約束されたようなものだろう。

そして十二曲が終わったところでペコラが、

「記念すべき十三曲目は二人ユニットでやりますよー♪」

と、とびきりの笑顔で言った。

あっ、これはもしやと思ったら、きっちりとベルゼブブがアイドル衣装らしき姿で出てきた。

見事に犠牲になったな、ベルゼブブ。

「部下に合宿の様子をうかがわせたりしなければよかったですじゃ……」

気配りをしたことが完全に裏目に出たらしいな。

もっとも、曲がはじまればベルゼブブもキャラを切り替えた。

いつ練習したのかわからないけど、しっかり踊りだす。空を飛ぶところもあるので、かなり高度で難しいダンスだ。

あっ、この曲、聞いたことがあるぞ。


「ベルゼブブさんと二人で歌いますよ！　『三角関係暗黒魔法陣』です！　ベルゼブブさんの練習時間的に過去にやった曲にしました！」

「魔王様！　いちいち言わなくていいのですじゃ！」


思いっきりぶっちゃけてるじゃん！

それでもダンスのほうは付け焼き刃とは思えないほど息が合っていた。

ダンスも身体能力が高いほうが有利だったりするのだろうか。

ベルゼブブは立て続けに三曲をやって退場する。

ここからはペコラがセットリストの後半に突き進む。

曲はこれまで以上に激しくて、楽しいものになっている気がした。

多分、これがペコラの出した答えなんだろう。


徹底的に楽しくすること。


ペコラは合宿をして、そういうふうに方針を変えた。

そして、ライブも終盤かなという時――

「さてさて、ペコリストの皆さんに報告しておきたいことがあります」

陽気なテンションのまま、ペコラが観客に語りかける。

「実は、わたくし、一度活動を休止しようかと考えていました♪」

ペコラの明るい声とは対照的に会場に不穏なざわつきが起こる。そりゃ、そうだ。こんなの、どんなアーティストが言ってもそうなる。

かといって、どこかで伝えないといけないものね。

ちゃんとファンに連絡はしてね、ペコラ。

ただ、活動休止の報告にしてはあまりに陽気すぎるような……と思ったんだけど、答えはすぐに出た。

「で・す・が、そんなことする必要ないって、わたくし、気づけました！ これからも輝いていきますから、よろしく！」

ああ、そういうことね。
今日最大の声援が飛び交う。
ペコラは壁を一つ乗り越えた！
その日最後の二十三曲目をペコラが歌い終わった時——
私は手が痛くなるぐらい拍手を繰り返した。
会場全体からも万雷《ばんらい》の拍手が鳴り響いていた。
よかった。本当によかった！

◇

しかし、アイドル関係で新たな問題が起きた。
ベルゼブブが疲れた顔で高原の家にやってきた。

「これは魔王様からおぬしたち家族への招待のチケットじゃ……」

そのチケットとやらは束になっていた。

「量が多すぎる。転売の業者みたいになってる」

「魔王様が公演の回数を大幅に増やそうとしておるのじゃ！　これでは政務が止まる！　回数を減らすように言うてくれ！」

どんなことでもほどほどがいいよね……。

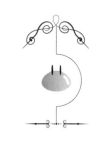

リヴァイアサンの免許更新に行った

She continued destroy slime for 300 years

その日は元々、空がどんより曇っていたのだけど、その空がさらに三割増しで暗くなった。夜が一足先に来たのかと思うぐらいだ。

だいたい予想はついていたのだけど、空を見上げるとリヴァイアサンが浮かんでいた。

「これはヴァーニアっぽいな」

ファートラかヴァーニアか、リヴァイアサン形態での区別をするのはなかなか難しい。黒と三毛と紅茶色の猫みたいな、わかりやすい色の違いもない。

なにせ姉妹《しまい》だし、人間の姿をしている時も顔は似てるしな。

リヴァイアサンを見たのはフラタ村に買い物に行く途中の出来事だったけど、村に着いても人はみんな騒いだりしていなかった。フラタ村の人もすっかりリヴァイアサンに慣れている。そのうち、空に浮かんでいるリヴァイアサンは見えなくなっていた。

買い物を終えて帰宅すると、ヴァーニアがお茶を飲んでいた。

向かいに今日は工場が休みのハルカラも座っていたので、話し相手になっていたのだろう。

「あっ、アズサさん。お久しぶりです～」

「こんにちは。なんか、嗅《か》いだことのないフレーバーのお茶の香りだけど」

「これは**ご迷惑をおかけすることになる**ので、持ってきたお茶です」

さらっと重大なことを言われた気がする。


「今日はいったい何の用で来たの……？」

用事がないのにヴァーニアが来ることは確定らしいので、冷静ではいられない。

しかも迷惑がかかることはないので、冷静ではいられない。

「ご迷惑をおかけしちゃうので、お茶も自分でいれましたよ」

「そんなことはどうでもいいから、用件を言え」

「ああ、たいしたことじゃないですよ。痛かったり、ケガしたりはしませんから～」

「それでも気になるわ！」

なんで迷惑かけると自分で言ったヴァーニアが呑気《のんき》な態度なのか。せめて申し訳なさそうにしろと思う。

どうもベルゼブブの図々《ずうずう》しさがほかの魔族にも広まっている気がする……。

ヴァーニアはテーブルに書類らしきものを置いた。

「こちらです」

魔族語で、全体的に堅苦しい様式のものに見える。

「文章が難しいから、全部は読めない……。許可がどうとか書いてる気がするけど。また表彰でもするから来いとか？　いや、それにしては雰囲気がそっけないんだよな。お役所仕様というか。誰《だれ》かを歓迎するものって感じじゃない」

かといって、とくに犯罪を疑われるようなことをやった覚えはない。そもそも、召喚状みたいなものなら、ヴァーニアもっと慌てているだろう。ヴァーニアが気楽な態度ということは本当にどうでもいいようなことなのだと思う。

「これはですね、免許更新の手続きをやるから来いという書類です」

「免許更新？」

私だけでなく、ハルカラもきょとんとした顔になった。

「私は車なんて運転しないし。してたとしても、魔族から呼び出されるのは変だし」

魔族領の住人じゃなくて、人間の国の住人だからね。

「これはリヴァイアサンの免許更新の手続き、つまりわたしと姉さんの免許更新の書類です」

「そういうことか！」

たしかにリヴァイアサンは立派な乗り物だ。

でも、驚いてから、おかしいぞとすぐに気づいた。

リヴァイアサンは乗り物だけど、誰かが乗って運転しているわけではない。当たり前だけどリヴァイアサン自身が運転（？）している。

人が歩く時に、誰かに運転されていたりするわけじゃないのと同じ理屈である。

そのことはハルカラもすぐにわかったようで、「それってリヴァイアサン本人が免許更新に行けばいいだけの話じゃないんですか？」と言っていた。

「よくリヴァイアサンに乗船する人も念のため免許更新の時に免許更新センターに来ることが推奨されていまして～。高原の家の皆さんはしょっちゅう乗っているので」

たしかに大人数で移動する時にリヴァイアサンに乗せてもらうことはある。一般的には、人生で一度も乗ることのないリヴァイアサンに私たちの家族はかなりの高頻度で乗っている。

「なるほど。船舶《せんぱく》免許がない人でも、船の上で仕事する人が講習を受けるようですけど、それに似たことですかね」

ハルカラは思い当たることがあったらしく、うなずいている。

「もちろん、強制ではないですし、来てもらうとしても、家族を代表して誰か一人が来てくれれば十分ですけどね」

「まあ、長丁場のことじゃないだろうし、行くのはいいけど、意味あるのかな……」

「リヴァイアサンについての知識があれば万一の事故を防げたりしますから」

「リヴァイアサンにおける万一の事故って何……？」

「言われてみれば、何なんでしょうね……？　地上に転落しないよう気をつけるとか？」

「初歩的なことすぎる！」

リヴァイアサンのヴァーニアが思いつけないぐらいだから、どうでもいいことっぽいな……。

それでも、行くだけ行ってみるか。行って困るようなこともないだろうし。

「だいたいのことはわかった。じゃあ、私が家族を代表して行くよ」

免許更新自体は一日で終わるはず。さくっと終わらせよう。

「じゃあ、せっかくなので、わたしも参加しますね。工場のほうは休みをとります」

ハルカラも右手を少し挙《あ》げた。

「こういう物珍しいことには、ビジネスのヒントが転がっていたりしますからね」

「おお、社長らしい発言だ！」

たしかにリヴァイアサンの免許更新を見る人なんて、レアであることは確実だ。商品を開発するうえでいいひらめきになることはあるのかも。

こうして私とハルカラとでリヴァイアサンの免許更新に行くことになった。

「それで、免許更新はいつ行くの？」

ヴァーニアが気まずそうな顔をして、ずずずっとお茶を口にした。一呼吸置きたかったらしい。

「期限がけっこう迫っているので、可能なら、このまま魔族領に来てもらっていいですか？」

「そういうところ、本当にいいかげんだな！」

「いや～、もっと前に休日を使って行けばよかったんですけどね～。ついつい、先延ばしになっちゃってて……」

どこの世界でも免許更新はギリギリに駆け込みで来る層がいるんだな……と思いました。

その日の夜、私とハルカラの二人はヴァーニアに乗って魔族領へと向かった。

「お～、街の明かりが見えますね。なかなかオシャレじゃないですか」

ハルカラはワイングラスを持って、景色を眺《なが》めている。社長がやっていることなので、妙に様になっている。

「ハルカラ、すっかりくつろいでるね」

「はい。仕事もたまには息抜きをしないといけませんから～。ちょうどよかったです」

今日はお酒の量も節度を守っているし、本当に優雅《ゆうが》に楽しんでいるようだ。

「それに、リヴァイアサンなら沈没するような事故も起きませんし、船よりずっと安心で安全ですよ～」

「なんか、フラグになりそうで怖いな……」

「いや、そういう事故が起きないようにするための免許更新手続きですよ。それに、わたしたちが運転するわけではないですから」

うん、ハルカラの言ってることは正論だ。

ただ、一抹《いちまつ》の不安はあるんだよなあ……。

リヴァイアサンが沈没なんてことにはなりませんように……。

その時――

がくがくっと床が揺れた。

ハルカラは「おっとっとッとっとっと……」と千鳥足《ちどりあし》になっていた。

「何？　ヴァーニア、どうしたの？」

『ピンポンパンポン』

というアナウンスみたいな音が響いた。

人を乗せている時にヴァーニアがしゃべると館内放送みたいになるのだ。ちなみに、ピンポンパンポンは自分の口で言っているらしい。

『すみませ～ん。やり忘れてた仕事を思い出してしまって、そのショックが体に出てしまいました。何も異常はないのでご安心ください！』

「じゃあ、安心だ――――ってならないから！　異常もないのに急に揺れないでよ！」

やっぱり免許更新手続きは定期的にやってもらったほうがいいな……。

◇

私たちは無事に免許更新センターらしきところに到着した。

ちなみにそこの景観は先日行ったペコラの合宿場所に近いところだった。つまり、荒野と言っていい。

もっとも、あそこよりははるかにアップダウンが激しくて、ハゲ山がいくつも突き出ている。

そりゃ、免許更新センターが繁華街《はんかがい》のど真ん中にあるわけがないし、こういう辺鄙《へんぴ》な立地になるよね。

到着前になると、何体もリヴァイアサンがそのへんを浮かんでいて、圧巻の光景だった。

「すごいです！　スケールがおかしくなりそうですよ！」

ハルカラも子供みたいに興奮している。

私も息を呑《の》んだ。いわばクジラがたくさん集まっているようなものなのだ。

『リヴァイアサンがたくさん来るので、こういうだだっ広い場所が必要なんですよ』

ヴァーニアが放送みたいな声でしゃべる。

「だね、とにかく面積がいるもんね」

『それにしても数が多いですね……。やっぱりみんな更新の期限が近づくと慌ててやってくるみたいです』

「本当にそういうところは種族も世界も超えて共通なんだな……」


さて、免許更新センターの近くでヴァーニアから降りて、建物のほうに近づいていくと、リヴァイアサンとおぼしき魔族が多く集まっていた。

たまにリヴァイアサン以外の魔族の姿もある。おそらく、私たちみたいによくリヴァイアサンに乗る側の魔族なんだろう。

そして、センターの入り口前に知っている顔が立っていた。

ヴァーニアの姉のファートラだ。

「お疲れ様です。私も妹と一緒に受けてしまおうということで今日にしました」

「そっか。ヴァーニアが来られるってことは、ファートラも同じく休日なんだね」

ファートラの性格なら、もっと早くに手続きをしてそうだから、妹が受ける日を待っていたということだろうか。

おそらく「免許更新会場」とでも書いてある貼《は》り紙《がみ》に従って、私たちは室内を移動する。

そこは教室みたいな雰囲気の部屋だった。

「ここで講習でもやるのかな。安全運転を心がけましょうみたいなやつ」

「アズサさんはよくご存じですね。ですが、その前にここで簡単なペーパーテストを行います」

「げっ……。そんなものまであるの？」

ファートラの言葉に私は少しげんなりした声を出した。

点数が低くても自由参加の私に問題はないはずだけど、テストと聞いて楽しくなったりはしない。

「あああ！　ペーパーテストもあったんでしたっけ……。ダルいですね……」

「なんで、ヴァーニアもそんなに驚いてるの⁉　過去にも免許更新やってるでしょ？」

「はい。百年に一度はやってるんですけど、百年に一度なので次の免許更新の時には忘れちゃってるんですよ」

スパンが長すぎると、割とありそうな問題ではあるな。

「アズサさんとハルカラさんは何点だろうと、別に飛行免許を剝奪《はくだつ》されたりしないのでご安心ください。あと、最近は人間の言葉で翻訳された紙も用意されています」

「承知しました！　まっ、やるからには満点を取りにいきますよ」

ハルカラは妙にやる気らしい。何でも楽しんでやろうという意気込みは大事だ。
そして、所定の席に座ると紙が配られてきた。
よし、やるぞ。

次のうち、正しいものには○を、間違っているものには×をつけなさい。

飛行前に疲れがたまっていると感じた時でも、近距離ならば気にせずに飛んでいい。

出たな。読んだ瞬間、明らかに答えがわかるタイプの問題！
こういう問題は道徳的に無難そうなほうを選べば絶対に正解なのだ。
公的機関が「疲れていても無理をして飛んでいい」とは絶対に言わないからな。なので、答えは×。

ほかの魔族などが空を飛んでいても、航路を譲らなくてよい。

これも譲らないとダメなことだから、答えは×。

なんだ、これなら誰でも満点が取れるんじゃないかな。

その次の問題では、ドラゴンらしき黒いシルエットが紙に描いてあった。

なんだろう、ドラゴンに関する問題かな。


この影は次のうちどれでしょう。

1 ドラゴン
2 ワイヴァーン
3 ドレイク

突然、難しくなった!

どうやって見分けたらいいの? ドラゴンとワイヴァーンならサイズの違いがありそうだな。でも、小さいドラゴンもいるよね。それと、ワイヴァーンとドレイクの違いって何? 本当に違いってあるのかな?

わからないので3にしよう。きっとドレイクなんだ。

次の問題もまたドラゴンっぽいシルエットが描いてある。

この飛行中の影は次のうちどれでしょう。

1　森ドラゴン
2　パールドラゴン
3　ブルードラゴン

もっと難しくなっている！

どこで見極《みきわ》めればいいのかわからん……。翼の動かし方に特徴でもあるのかな……。

どれでもいいので、2にした。今度から三択で迷ったら真ん中にしよう。三分の一の確率で当たるはずだ。


リヴァイアサンが空の安全のために立ち上げた組織の名前は次のうちどれでしょう。

1　世界リヴァイアサン機構

2　リヴァイアサン飛行協会
3　リヴァイアサン中央委員会

………。
わかるわけがないので、２にする。
このあたりはリヴァイアサンにしか解けないな。

先代魔王陛下の行幸に従っていたリヴァイアサンの名前はどれでしょう。

1　エフェサイス
2　グリビウェソプ
3　ニーサイ

歴史の問題みたいなのも出るのか！

「リヴァイアサン空を往《ゆ》く」の歌詞の冒頭部分はどれでしょう。

1　ネペデの峰をまたぎ越え
2　マコリーに集《つど》いし若き血潮
3　険しき気流もこじ開けて

校歌の出だしかよ！　これも2にしよう……。

しばらくすると、ドラみたいな音が響いた。これが試験終了の音らしい。

ハルカラが助けを求めるような顔でこっちを見てきた。

「お師匠《ししょう》様、わかりましたか？　後半、難しくなかったですか？」


「難しいも何も、リヴァイアサンしかわからないでしょ……」


じゃあリヴァイアサンはどうなんだろうとファートラのほうを見てみたら、涼しい顔をしている。

どうやら余裕って反応だな。

「姉さん、どれぐらいできましたか？　わたし、七割未満でペーパーテストだけ再試験をやらされる危険があるんですけど……」

　ヴァーニアも苦戦していたようなので、リヴァイアサンなら誰でも解けるってわけでもないみたいだ。たんなる免許更新にしては、なかなかの難易度なのか。

「とくに後半のリヴァイアサンの組織の名前の問題と、先代魔王様に仕《つか》えていたリヴァイアサンの名前の問題と、歌詞の問題。それからシルエットからどれが飛んでいるか当てる問題がわかりませんでした！」

「全部、私が詰まったとこだ！」

　リヴァイアサンがわからないなら私がわかるわけないや。

「リヴァイアサンたるもの、それなりの知性と教養が必要ということよ。ダメなら再試験用の勉強をして、また今度来ることね」

「うう……。休日がつぶれる……。下町の名店巡りをする予定が……」

　免許更新を舐《な》めると、ひどい目に遭《あ》うんだな……。

「ちなみに姉さん、歌詞の問題ってどれが正解ですか？」

「2の『マコリーに集《つど》いし若き血潮』よ」

「あっ、私、当たってたや……」

「えーっ！　アズサさん、すごいですよ！　リヴァイアサンのことまで勉強してたんですか？」

　ヴァーニアに驚かれたけど、自分の実力と関係ないところだから恥ずかしいわ……。

「違う、違う！　たんなる偶然だから！　まったく知らなくても三分の一で当たるし……」

「うぅ〜。わからない問題はだいたい2を選んでたんですが、なぜかそこだけ1にしてたんですよね……」

ペーパーテストあるあるっぽいな……。

すっと、ファートラが立ち上がる。そういえば、ほかのリヴァイアサンたちもその教室を出ていっている。

「さて、次は別室で講習を受けます。あまり面白《おもしろ》くない話を聞くことになると思いますけど、そのぶん、すぐ終わりますよ」

そういうところはどこの世界でも同じなんだな。

別の教室みたいな雰囲気の部屋に行って着席していると、講師役らしきリヴァイアサンが出てきた。

「どうも。リヴァイアサン飛行協会の者です」

よしっ！　適当にテストで2を選んだら正解だったっぽいぞ！

一方でヴァーニアは「そこも間違えてました……」と机に顔を突っ伏していた。この機会に覚えておいてほしい。

「はい。ここでは改めて安全運転について考えてもらおうと思います。昔、安全遵守《じゅんしゅ》の合言葉、学びましたよね。「リヴァイアサン空を往く」の『ネペデの峰』です」

だから、あんな問題が出てたのか！

ね……寝ない
ペ……ペコラ様、協会にもっと予算を
で……デンジャラスな運転はしない
の……呑まない
み……見る
ね……寝ない

「寝ないことが重複してますが、それだけ居眠り運転が危ないということです」

かなり無理矢理に聞こえるぞ……。とくに「ペ」。
歌詞を作った人は、交通安全で利用されるとは思ってないからしょうがないか。
ヴァーニアが今度は天井《てんじょう》を見上げていた。そういや、その問題も間違えてたよね……。
「では、最近の魔法の技術によって開発された講習用映像をごらんください」
部屋の前の壁に映像が出てきた。
「リヴァイアサンの事故をなくそう」というタイトルが出てくる。
それから空を飛ぶリヴァイアサンの映像に切り替わる。
『優雅に空を舞うリヴァイアサンは毎日多くの方に使われています』

どことなくマダムっぽい雰囲気の中年女性のナレーションが入った。

『ですが、リヴァイアサンのほんのわずかの油断で大事故が起きてしまいます』


こういうの、確実に前世で見たことがある……。


「面白い趣向ですね、お師匠様。あれ、お師匠様、なんで呆然《ぼうぜん》としてるんですか？」

「いやさ、ハルカラ、ちょっと思い出すことがあってね……」

この手の教材ビデオ、小学校や中学校でも体育館や講堂で見せられたな……。

映像のリヴァイアサンがいかにもセリフっぽい棒読みでこんなことを言った。

『このままだと遅刻しそうだ……。いつもより急ごう……。このへんは飛行している魔族も少ない土地だし、ちょっとぐらい大丈夫だろ』

フラグでしかない発言！

映像はリヴァイアサンが岩山にどんどん近づいていくシーンに切り替わる。

これ、ぶつかるやつだと思っていたら、本当にガシャーンと岩山に衝突していた。

注意喚起の映像とはいえ、痛そう……。

『リヴァイアサンは無傷でも岩山の一部を破壊してしまいます。リヴァイアサンは空を飛ぶ凶器になってしまうのです』

そこはリヴァイアサンのほうは平気なんだ！　やっぱりリヴァイアサン、強いな！

今度は何も障害物のなさそうな空をリヴァイアサンが飛んでいる映像に切り替わった。

いったい、どんな事故がここから起こるんだろう？

そこにブルードラゴンがやってきて、やたらとリヴァイアサンの前をうろちょろしている。

『飛行場所によっては、ブルードラゴンが煽《あお》ってくることもありますが、無視しましょう』

ブルードラゴン、マナーが悪すぎる！

こんなところにも煽り運転の問題が……。

最後にナレーションが『交通ルールを守って、快適な飛行を行ってください』と締めた。

講師役のリヴァイアサンがぱんぱんと手を叩《たた》く。

「これで講習は終わります。最後に先ほどのテストの結果が来ていますので、名前を呼ばれた方は前に来てください。七十点未満の方はまた今度試験を受けに来てください」

ヴァーニアが答案用紙を返却された直後、ガッツポーズをしていたので、再試験は回避できたようです。

私もギリギリで七十点以上あったので、やっぱり無難な回答を選んでいけば、どうにかなるような難易度に設定されているらしい。

さて、もう免許更新でやらないといけない内容は終わりかなと思っていたけど――

まだ一つだけカリキュラムがあるようだ。

「最後にリヴァイアサンの皆さんには耐久試験を受けてもらいます」

講師役のリヴァイアサンが言った。

ん？　耐久試験？

「ゆっくりとこのへんの岩壁にぶつかってもらいます。それで大きな負傷がなければ合格です」

かなりとんでもない試験内容！

「回復役の者もいるのでご安心ください。あと、付き添いの方はぜひリヴァイアサンに乗って、事故が起きるとどうなるかを確認してみてください」

「おかしいですって！　本当に事故を起こしちゃってどうするんですか！」

ハルカラが立ち上がって抗議した。うん、私も同じ意見です……。

「そのために回復役の者がいるので、大丈夫です。転落しそうなところに立っていたりしないかぎり心配いりません。はっはっはっはっはっは！」

それ、免許更新センターの人が言っていいセリフじゃないだろ。

事故の場に居合わせても大丈夫なんだったら、安全確認なんてしなくていいじゃんと思ったけど――

結局、なし崩し的に私とハルカラはヴァーニアに乗ることになってしまった……。

「うう……。こんなことなら、免許更新なんかに来なければよかったです……」

ハルカラは疲れたため息を吐《つ》いている。

「だよね……。こんなところで魔族の魔族らしいところが出た感じがする」

リヴァイアサンに乗っていてそんな大事故になるとまでは思ってない。岩山にぶつかった講習の映像のリヴァイアサンも平気な感じだったたし、リヴァイアサン側からすると本当にどうってことはないんだろう。

だからといって、乗客からすればぶつかってもらいたくないに決まっている……。

『ピンポンパンポン』

これはヴァーニアがしゃべる前の合図だ。

『いや～、こんなことになるとは。たしかによくリヴァイアサンに乗る人は、事故の時にどうなるかも知っておいてもらうほうがいいんで、よろしくお願いします』

「あんまりお願いされたくないな……。まあ、一回、経験しておけっていうのはわからなくもないけど」

『たいした危険はないですよ。ちょっとした衝撃が来るだけです』

その衝撃が嫌なんだけどな……。

『では、岩山にぶつかりますね』

岩山に近づいていることはわかるのだけど、その様子が見えるところに出るのは危険なので、私とハルカラは船内の食堂にいる。

ハルカラは食堂のテーブルの下にさっと隠れた。

「また地震みたいに揺れますよね。そういう時はテーブルの下に隠れろと習いました！」

たしかに一般的な地震ならそうするべきなのかもしれない。

しかし……その考え方で大丈夫か怪しかったので、私は壁をぎゅっとつかむことにした。

『じゃあ、ぶつかりますよ～。さん、にい、いち』

ズゴオオオっと鈍い音が響いた。

同時に前に引っ張られるような力が来た。

これは急ブレーキの時に感じるような力だな。

そのあとにリヴァイアサンの内部が揺れる。しかし、揺れ自体はそこまでじゃない。

うん、これなら安全だな。

……あれ？

食堂のテーブルが移動しているように見えた。

その下のハルカラごと。

「なんか、落下している気がします！」

「ほんとだ！　でも、どうして……？」

「船が沈む時みたいな反応になってるんですけど！」

「そういや、急な坂の上に立ってるような感覚になってきたな……」

私もこけないように何歩か前に踏み出す。

『ピンポンパンポン。すみませ～ん。岩山にぶつかったはずみにわたしが傾いちゃいました～。それで乗ってるお二人にとっての地面の方向が変わったみたいです～』

そっか……。まさに船が斜めになったみたいな反応が来たのか。

私は空中浮遊でもすればいいので、あまり問題はないんだけど、ハルカラはモロに影響を受けるよね。

結局、ハルカラはドアのほうにずるずるスライドしていって、そこで止まった。

「ハルカラ、無事？　回復魔法はかけなくていい？」

「無事ですけど、肝《きも》は冷えました！　やっぱり安全運転をお願いしたいです！」

その時、また例の『ピンポンパンポン』が聞こえてきた。

『お疲れ様でした～。それじゃ今から元の向きに体を戻しますね。ご注意ください～』

その直後、ハルカラが逆側に流れだした。

「うわわっ！　上のほうに来ていたところが下にっ！　怖い、怖い、怖いっ！」

私が手を伸ばす前にハルカラがすべるように「落下」した。

完全に高波を受けた時の船の動きだな。

「ハルカラ、ケガはしてない……？」

「はい……ケガはないです……。ただ…………うぇっ……」

ハルカラは青い顔になっていた。

「酔いました。いわゆる船酔いです……」

「だろうね……。そういう揺れ方だったもんな」

「正直な話、お酒を飲んでないのに気分が悪くなるの、納得がいかないんですが」

「気持ちはわかるけど、起こったことはしょうがないから諦《あきら》めて……」

もしも、人生で船を運転することがあったら、気をつけるようにしよう。

◇

無事に免許更新手続きのカリキュラムを終えた私たちは、そのあと、ヴァーニアとファートラの家に招かれた。

「はい、本日はお疲れ様でした～。まずはさっぱりしたサラダとスパイシーな冷製スープです」

ヴァーニアが手料理を作って、振る舞ってくれたのだ。

「わ～！　ヴァーニア、ありがとう！　いただきます！」

「いや～！　このために生きてますね！」

ハルカラは岩山にぶつかったことでひどい目に遭っていたので、余計に厄落《やくお》とするみたいに喜んでいた。

「コースですけど、今日は品数を多目に設定しました。お楽しみに！」

「はーい！　どんどん持ってきてくださいね～！　食べ過ぎてもハルカラ製薬の胃腸薬がありますから！」

本当に調子いいなあ。

「ハルカラさんも食べ過ぎたりしないように訓練が必要かもしれませんね」

ぼそりと、ファートラが皮肉を言った。

少し笑いながら。

「そ、そんなこと言わないでくださいよ～！」

その日のハルカラは吐《は》いたりはしなかったし、酔いつぶれることもなかった。

そのせいか、デザートの時間になっても、真面目《まじめ》な顔でこんなことをファートラに言っていた。

「すみません、魔族の土地で薬草を扱ってるお店や植物園があったら紹介してくれませんか？　明日にでも寄ろうと思うんです」

ハルカラが熱心だからか、ファートラも目を大きくしていた。

◇

高原の家に戻ったあと、ハルカラはしばらく工場へ出勤しなくなった。

といっても、仕事が嫌になったのではなくて、自分の薬用の部屋にこもって、何か実験のようなことを繰り返していた。

そういえば、魔族の土地でも、薬草を見て回っていたし、本当に免許更新に行ったことでビジネスのヒントを見つけ出したんだろうか。

私としてはあまり集中の邪魔をするのもよくないし、たまにお茶をいれて持っていくぐらいのことに留《とど》めた。

ハルカラからお師匠様と呼ばれはするけど、本当の意味で私が師匠だったことはなくて、ファーストコンタクトの時からハルカラは薬のプロだった。だから、細かいことまでお互いに干渉はしないのだ。


何日かが過ぎたあと、ハルカラの「できましたー！」という声が飛んできた。

私はハルカラの作業部屋に入った。

「何ができたの？　新商品？」

「はい！　ヴァーニアさんに乗った時にインスピレーションを受けて作りました！」

ハルカラが「じゃじゃーん！」と言って、小粒の丸薬《がんやく》が載った小皿を出してきた。

「『じゃじゃーん！』と言われても、薬を見てもどんなものかわからないけどね。何の薬なの？」

「ずばり、これは酔い止めの薬ですっ！」

そう言われて、私はぱんと手を叩いた。腑《ふ》に落ちたという意味だ。

「そっか、そっか。思いっきりヴァーニアで酔ってたもんね……」

ヴァーニアが岩山に当たったせいで、上がったり下がったりした時に完全に気分悪くなってたんだよね。

「今までのわたしはお酒を控えればそれで問題ないと思っていました！　ですが、体調を整えていても、揺れの激しい船に乗ってしまえば酔っちゃうんです！　これはどうにかしないといけない！　わたしは決意しました！」

妙にハルカラが熱い……。

「そして、わたしはリヴァイアサンがいる魔族の土地なら、乗って酔った時に服用する薬草も伝わっているんじゃないかと思って探したわけです。その結果、魔族の民間伝承の薬草を見つけ出したんです！」

「かなりガチにやってたんだ！」

「その薬草にほかの薬草などをミックスして、この薬を作りました！　転んでもただでは起きないハルカラです！」

「すごい！　本当にすごいよ、ハルカラ！　見事に体験を活《い》かせてるじゃん！」

ハルカラがヴァーニアに酔ったことで新商品ができたわけだから、すべてが上手《うま》く回ったと言える。

困ったことや失敗したことが新しいものを生み出すこともあるのだ。少なくとも、船酔いに似た体験がなければ、ハルカラはこの薬を作ろうとは考えなかった。

うんうん、とってもいい話じゃないか。娘たちにも話して聞かせたいぐらいだ。

「ただ……一つ問題が残ってるんですよね……」

ハルカラがちょっと視線をそらした。

「もしかして副作用があるとか？」

「いえ、無難な生薬しか使ってないので何の危険もないんですが、効き目を確かめるためには乗り物酔いしてもらうしかないんですよね……」

ああ……商品化のためには人の体で確認しなきゃいけないのか……。

「あの、お師匠様、大変言い出しづらいんですが……揺れる船に乗っていただけないでしょうか……？」

「それはいいけど、多分、私、能力的に酔わないみたいなんだよね……。馬車でも酔った記憶ないし……」

ふと、我が家で乗り物酔いする子っていたかなと考えてみた。

ライカとフラットルテは自分が空を飛ぶからか酔ってるのを見たことがない。

ファルファとシャルシャは、スライムの精霊は水の精霊の系統だからなのか、馬車でも酔わない。

サンドラも酔わないな。

ロザリーは当然問題なし。

「ハルカラしか酔う人いないね……」

「あっ、そうですか……。わかりました……」

そのあと、ハルカラはわざわざよく揺れる船に何度も乗って、効き目を検証したそうです。

自分の体を使うあたり、根本のところでは真面目なんだよね。

魔法少女が出た

She continued destroy slime for 300 years

ある日、ペコラの夢を見た。

アイドル姿のペコラが出てきた。ちょっと前にペコラのライブを見たからだろう。

ペコラは夢の中でも元気に歌って踊っていた。

魔王もやりつつ、なんだかんだでアイドルもやるのはすごい。ニュアンスが違う気もするけど、兼業で働いてるようなものだ。ややこしいけど、これは夢の中での私が抱《いだ》いた感想だ。現実の私もライブを見た時はそんな感想を抱いたはずなので、夢の私がそう考えたっておかしくない。

そして夢の中でのライブ終了後、私はペコラのいる楽屋に入っていく。これも現実にありそうな話だ。

夢の中で私はペコラに対してこう言った。

「いやあ、その衣装、魔法少女みたいだね」

夢の中のペコラはこう回答する。

「魔法少女って何ですか？」

そこで私は目が覚めた。

ある種の教訓を含んだ夢だったと思う。

この世界は前世に近い部分がいろいろとある。

似すぎていて、たまにわざとやっているんじゃないかと思う時さえある。

しかし当然ながら、前世の世界とこの世界は違うのだから、前世の概念や名詞を口にしても通じないのだ。

たまに私はツッコミを入れちゃう時があるけど、家族の誰《だれ》にも通じないことも多い。

誰にも理解されないというのは、あまり楽しいことじゃない。それに、変な空気になる危険もある。

なので、この世界になさそうな概念はしゃべらないほうが安全なのだ。

たとえば、もしこの世界で魔法少女っぽいと思えるものがあっても、声に出して「魔法少女かよ！」などと言わないようにしよう。

そもそも、魔法少女なんて前世の世界でも、通じる地域はかなり狭いはずだし。地球の人間の九割以上は知らないだろう。

そんなことを起きて、着替えている間、考えていた。

私はいくぶん気を引き締めて、朝のダイニングへと向かう。今日はハルカラが朝食を作る当番だったはずだ。

ダイニングに行くと、デキさんがいた。

「なぜ、ここに！」

これは正当なツッコミだ。

デキさんはデキアリトステという名前の神だ。ちょっと前に地底からやってきた。長らく地底にいたので、この世界の常識をわかってない時もあるけど、今はニンタンやメガーメガ神様のような神とも上手《うま》くやっているようだ。

「お師匠《ししょう》様のお知り合いらしいので、お通ししました。そういえば、踊り祭りの時にもいらっしゃった気がします」

「そういや、ハルカラとデキさんって直接の面識はなかったっけ」

一緒に食事するような機会はなかったから、知らなくても不思議はないか。

「ですね。以前にわたしがなぜか魔王みたいな存在になって勇者と戦ってる夢を見たことがあって、その時にもお会いした記憶があるんですが」

それってメガーメガ神様の修行プログラムだな……。

たしかにハルカラがなぜかボスの役割を与えられていた。経営者がボスって何かメッセージ性でもあるのかと思うが、そんなことはないようだ。

「お久しぶりデース。実は相談したいことがあって、やってきたのデース！」

デキさんが元気というより能天気《のうてんき》な調子で言った。

あっ……。これはまたしても大きなトラブルの予感……。

なにせ相手は神様だ。相談事のスケールもとてつもない危険がある。

「ええと、相談って何かな……?」

どうでもいいことだといいんだけどな。シチューの隠し味に使えそうな食材があれば教えてくれとか。

「たいしたことではないデスネ。ア・リトル・プロブレム」

「よかった。それだったら、私も安心するよ」


「地底から神が一人、地上に上がってきたデース」

「ベリー・ビッグ・プロブレム!」


また無茶苦茶なスケールのトラブルの予感! デキさん復活の時も何かと大変だったけど、あんなことになるんじゃないだろうな……。

キッチンのハルカラが「神が来た……? ははは……空耳ですかね……ははは……」とすべてをなかったことにしようとしていた。正しい対処法だと思う。

「いえいえ。本当にたいしたことじゃないデース。だから、まだほかの神にも言ってないぐらいデスネー」

突如、その場にニンタンが現れた。

「馬鹿者《ばかもの》！　そういうことはすぐに連絡しなければならん！　報告を怠《おこた》るでない！」

そりゃそうだよな……。神様の視点でも放っておけない問題だよね。

「ホワーイ？　これはワタ〜シが気をつければ済むようなことのはずデース」

「意味がわからん！　そんなわけがあるか！　ちょっと来い！」


次の瞬間、私はニンタンと初めて会った時のような空間に移動していた。

デキさんと一緒に連行されたらしい。

ここって地面があるのかないのかよくわからないから足下《あしもと》が落ち着かないんだよね。神の世界だからか、床という概念がないのだ。

これは朝食どころじゃないな。仕方ない。どっちみち、地上に上がってきた神の事情がわかるまではごはん食べる食欲も湧《わ》かないし。

「まず、現在のこの世界に何も起きていないかを確認するぞ。オストアンデ、出てこい！」


ニンタンや私のいる空間に今度は毛玉みたいなものが現れた。

本当の毛玉ではなくて、オストアンデという死神だ。

「オストアンデよ。そなた、原因不明の死者が増えているような地域があったりせぬか確認してくれ」

そうニンタンが言った。なるほど、邪悪《じゃあく》な神が来たら、その被害が出ているかもしれないという判断か。死神なら死者の数についてのデータがあるはずだ。

毛玉からオストアンデが首を出して、その首を振った。

「……ない。そんなところはない。平穏無事《へいおんぶじ》」

どうやら最悪の事態までは起きていないらしい。

「平和だと小説のネタにならなくて困る」

そんなことで困らないでほしい。

「平和で退屈なぐらいでちょうどいいわい！　では、まだ犠牲者が出るような危機は起きてないようであるな。ひとまずよかった。次は運命の神カーフェン！」

また、神が一人出てきた。運命の神カーフェンは、詳《くわ》しいことはわからないけど運命というものをつかさどっている。

「何？　そんなに運命というものについて聞きたいのかな？」

「いや、そういう抽象的《ちゅうしょうてき》なことはどうでもよい。運命の乱れみたいなものがある土地があれば教えよ」

「そもそも運命というものはね、一般に考えられているような――」

「朕《ちん》の話を無視して解説を試みなくてもよい！　状況が状況であるから事務的にやれ！」

この運命の神は格好をつけるところがあって、あんまり友達いなさそうなんだよね……。神様だから中二病でも名前負けするようなことはないけど、神様の間での交友関係にもあまりプラスにならないらしい。

「そもそも、世の中の人は無意識のうちに『普通』であることを決めてしまっている。でも、世界全体を見れば、どこかで『普通』でないことが起きていることのほうがよっぽど正常なことで――」

「話すなと言ってるのに話すのはやめよ！　しかも、運命の話から逸《そ》れてるじゃろうが！『そもそも』の部分から話すと絶対に長くなるから禁止じゃ！」

「話す機会がないからか、強引に話してしまうつもりのようデース」

デキさんすら、そのあたり見抜けちゃってるんだな……。

そのあと、カーフェンは、ニンタンの質問が何だったか忘れそうになるぐらい、抽象的な話をしてから、最後にこう言った。

「フッ。おかしな事態は何もないよ」

「そこだけが聞きたかった。こういう時はまず結論から言うのがマナーである！　結論がわからないまま長い話を聞くのはストレスになる！」

そういうビジネスマナーみたいなの、神の中でもあるのか。

「じゃあ、異常なしじゃな。わかった。もう帰ってもいいし、静かにしておるなら、おってもよいぞ」

ニンタンはほかの神の取り扱い方を心得てるな……。なんだかんだで、神のまとめ役をやっているらしい。

死神も運命の神も帰ろうとはしないので暇なようだ。

そういう属性の神が大忙しだと不気味だし、暇なぐらいのほうが安心ではある。

今のところ、一刻を争うというようなことは起きてない。もし口に出すと、カーフェンが「こういう物事を断定することは理論上不可能で――」などと言いそうなので言わないけど、大丈夫と考えていいだろう。

私はほっと胸を撫でおろす。これなら朝ごはんも食べられそうだ。

「ニンタンは心配性デース。問題などあるわけないデース」

デキさんはあきれたような顔をしていた。

「心配しすぎるぐらいでちょうどよい。それで、デキアリトスデよ、どんな神が来た？　というか地底にそなた以外の神がおった気はせんのだが。そなた一人で地底の知的生命体はすべて統括しておったはずであろう」

ニンタンも地底については把握《はあく》できていないらしい。

長らく、別世界に近い扱いだったので、やむをえないだろう。

「だから、早とちりデース。『神が地上に上がってきた』とは言いましたけど、報告義務のない神デース」

「勝手にルールを設けるな。神だったら報告せんとダメということになっておる。神が何かやると影響が広範囲に及《およ》ぶであろうが」

横で話を聞いているかぎりだと――嚙《か》み合《あ》ってないな。

オストアンデもカーフェンもそう思っているらしく、大丈夫かなという顔をしていた。

意見対立ですらなくて、ニンタンとデキさんとの間で基になっているルールが違うようなのだ。

人間の議論でも、たまにこういうケースはある。

でも、ニンタンが勘違いをしているとも思えないしな……。

「デキアリトスデ、そなたの言っていることは矛盾しておる。それを今からゆっくりと説明してやる。それでおかしな箇所もわかるであろう。でも、原則は一つ。神が来たら、ほかの神に報告はせんとダメじゃ。そういう決まりである」

「神という名前なのは地底世界に限る話デース。地上では神ではないから、報告しなかっただけデース」

「朕たちが神と認識してない存在だから、神じゃないので報告しなかったということか？　だとしたら、やっぱり屁理屈《へりくつ》ではないか」

今のところ、ニンタンのほうが優勢に感じる。

「違いマース。地上に上がってきたのはワターシが地底で作った存在デース。なので、地底では神と呼ばれていても、ワターシやニンタンみたいな神より一ランク劣りマース」

「なぬ！」

ニンタン、今、勢いで「何！」が「なぬ！」になったな。

私はまだよくわかってないんだけど、運命の神カーフェンが説明してくれた。

「造物主である神が作った存在は、あくまでも造物主に仕《つか》える存在なんだよ。だから、対等ではないのさ」

「じゃあ、その存在はそこまで強くないってことでいいですか？」

「おそらく、強力なドラゴンや精霊ほどの力なんじゃないかな」

「少しわかった……気がします」

そういえば、クトゥなんとか神話でも神が自分に使役する恐ろしい眷属《けんぞく》を作っていた気がする。

クトゥなんとか神話内の一般人からしたら、神そのものも眷属もどっちも圧倒的な力を持っている恐ろしい存在、いわば邪神《じゃしん》とでも呼ぶしかない存在だろう。

だけど、本物の神からしたら眷属はあくまでも眷属であって、そこまでの脅威ではない――ということではないだろうか。

サッカーの素人《しろうと》視点だと、プロの選手も、部活でレギュラーをとった学生も、どっちもサッカーが上手い人だと認識するのと似たようなものだろう。素人から見ると、どれぐらいの差があるのかよくわからないことはある。

デキさんみたいなのが地底からやってきたら問題だけど、精霊が一人増えたぐらいであれば、神様全体で協議するにはおおげさには感じる。

おそらく地底世界の住人は、デキさんが作った眷属も神として信仰していたんだろう。

実際、デキさんの言い分のほうが正しかったらしく、ニンタンがやりづらそうな顔をしていた。

「そういうことか……。それなら、その部分を最初から言えばいいものを……」

「やっぱりニンタンの早とちりデース」

「うるさいわ。お前が作った眷属なら、どのみち不吉であるし。また異形のクリーチャーみたいなのではあるまいな？」

あ、そうか。デキさんのデザインセンスは壊滅的というより壊滅しているのだ。

「ちなみにこんなのデース」

デキさんが紙に絵を描いている。紙なんてどこにあったんだろうと思うけど、神だからそれぐらい自由に出せるのだろう。

予想どおり、デキさんの描いた絵は普通の人間とはかけ離れたものだった。

ただ、ぐちゃぐちゃの線の集まりというのとも違う。絵は少なくともシャープだ。

それはずんぐりむっくりしたソーセージに手と足をつけたような何かだった。見方によってはペンギンっぽく見えなくもない。

そこに紐《ひも》が一本生えている。

「デキさん、この紐は何なの？」

「尻尾《しっぽ》デース」

尻尾ということは、それが生えているあたりがお尻《しり》なのか。前も後ろもよくわからない。

「この神は地底の一部で信仰されてマシタネー」

「待て。神と呼ぶとまた混乱する。別の呼び方をせよ。朕たちのような神とは概念が違うのだから、違う単語を使え」

「地底では『細くて単純な者』と呼ばれてましたデース」

あんまり神っぽい呼ばれ方をしてないな……。

「わかりづらい！　便宜的《べんぎ》に中途半端《ちゅうとはんぱ》な神ということで『半神《はんしん》』と呼ぶことにする」

だいぶわかりやすくなった。

でも、まだ話の入り口に来ただけなんだよね。

「それで、その半神は地上に出てきて、何をしてるの？」

そう、半神の現状が何もわかってないままなのだ。

「半神は地上でも自分を信仰してくれる者を欲してマース」

地底では神様扱いだったから、それはそうなるか。

「自分のために祭祀《さいし》を行ってくれるお坊さんがいたらベストだと思ってマース」

神様として敬ってもらえればなんでもＯＫというわけじゃなくて、祀《まつ》られたいのか。

「おそらく、地上の人の願いをかなえる代わりに、お坊さんになってもらって祭祀をさせようとすると思いマース」

うんうん、その理屈はわかる。

「その特別なお坊さんのことを魔法僧正《そうじょう》と呼びマース。魔法僧正は元はごく普通の人ですが、願いをかなえる魔法が使えるようになりマース」

そうか、そうか。どこにでもいるような人が、この世界にいない不思議な存在から魔法を使う力をもらうのか。

…………あれ？

「それって魔法少女じゃん！」

勢いでツッコミを入れてしまった。

「そうデース。魔法僧正デース！」

魔法少女という概念はデキさんには通じなかった。

だって、地底に魔法少女がいるわけないもんね。通じるほうがおかしい。

ほかのみんなもぽかんとしている。誰《だれ》も魔法少女という概念を理解していない。

しまった。会話をぶった切ったうえに、変な空気になってる……。

だが、一人だけ通じる存在がいた。

その空間にメガーメガ神様が現れた。

「それって魔法少女じゃないですか！」

私と同じツッコミをした！

「げっ……メガーメガも来たか……。そなたがいると話が進まなくなるから呼ばずにやろうとしておったのに……」

ニンタンが隠しもせずに全部言った。メガーメガ神様がいないなと思ったけど、呼んでなかったんだな。

「それはひどいですよ！　会話にはボケとツッコミが必要なんです。誰もボケがいないから私がその役目を果たしていたんです」

「面倒だから、カエルになれ」

ニンタンの手から青白い光が出て、それに触れたメガーメガ神様がカエルになった。

もう私もカエルになったメガーメガ神様に慣れた。

メガーメガ神様本人も慣れているからあまり変身させる意味はないと思う。

「わーい、カエルだゲロ〜。それはいいとして、その半神に魔法僧正に選ばれた人は、願いをかなえられるような大きな魔法が使えるようになるんでしょう？　だったら、邪悪な心を持つ人が魔法僧正になったりしたら大変じゃないですか？」

「なんでそなたはカエルになってから、真面目《まじめ》な意見を述べる？　しかし、それはたしかに問題ではあるな……」

ああ、魔法僧正が「この世界を悲しみで埋め尽くす」みたいなことを願うとややこしくなるな。

「そんなことはないのデース。半神は邪悪な者に魔法僧正の力は授《さず》けない、というか、授けられないデース。適合者はもっと限られているデース」

「妙に都合がよいのじゃな」

「ははーん。そりゃ、心がすさみまくってる人が魔法少女にはなりませんよね。そんなの、子供向け作品としてふさわしくないです。魔法少女が激しく争い合ったりするのは、あくまでも大人向けの作品です」

魔法少女を知らない神と知ってる神の反応がきれいに分かれた。

私は、デキさんの説明は割とすんなり受け入れられる。

不自然なほどに純真な少女に特別な力は授けられるべきだろう。

そのへんの誰でも力が行使できるなら、魔法少女にあこがれる子供もいなくなる。

「言いたいことは僕もわかるよ。半神にだって選ぶ権利はある。酒と博打《ばくち》で身を持ち崩しているならず者に、自分の祭祀を委《ゆだ》ねようとは思わないはずだ。自然と、清廉《せいれん》な人物を選ぶだろうね」

これに関してはカーフェンの説明がわかりやすい。

そうだ、半神がわざわざ危険思想を持ってそうな人物を選ぶ意味がない。そんなの、半神に何のメリットもないからだ。

「……清廉な人物なんてインパクトが弱い。……自分なら、よこしまな欲望を持った者たちを何人も魔法僧正にして争わせる。そのほうがストーリーとして面白《おもしろ》い」

オストアンデが危なっかしいことを言ってるが、そういう一度ひねったようなアイディアはみんな思いつくんだな。

もっとも、オストアンデが言ってるのは小説のアイディアとしての話であって、本当に半神の立場になったら信頼できる人を選ぶだろう。

これなら、世界の危機なんてものは起こりようがないか。

清廉な人物がいいとすると、子供を選びそうだ。そのほうが半神を素朴に信仰してくれそうだし。

「魔法僧正の適合者は、平凡な人生を生きている二十代の女性デース」

「二十代限定かよ！　それ、魔法少女というか、魔法女子じゃん！」

「アズサさん、アズサさん、デキさんは魔法僧正としか言ってません。少女である必然性はないですよ。魔法少女という言葉に引っ張られています！」

「あっ……ほんとだ……」

メガーメガ神様に指摘されて気づいた。

知らず知らずのうちに魔法少女という概念で私は物事を考えていた……。魔法僧正なら、年代も性別も何だって問題ないよね。

「……平凡な人間。設定上はそうなっていても、だいたい本当に平凡ということはなくて、何かしら特別なところを持っていたりするもの。あまりにも平凡すぎると面白くないし、がっかりする」

オストアンデが話を作る人の視点みたいなことを言った。

「そう、平凡に見えても、実はすさまじい運命に抗《あらが》って生きていたりするものだよ」

カーフェンはクサいことを言った。

「まあ、平凡な人間って具体的にどういう人間か言うてみよと言われると難しいが……とりあえず、その半神は放っておいても無害ということであるな？」

「イエース！」

ニンタンの言葉にデキさんが右手をサムズアップして答えた。

「じゃあ、神に周知するのは延期にする。ただ、半神などというこの世界には本来おらんはずの存在が増えておるわけであるから、もし発見したら報告をしてくれ。管理はしたほうがよかろう」

「見つけたら、地底に帰らせるデース。地底から神が消えている状態はよくないデース」

この点ではニンタンとデキさんの間でも意見が一致したらしい。

デキさん本人が地上に出ているので説得力が薄い気がするけど、地底の住人が求めているのは半神みたいなポジションのほうなのかもしれない。

デキさんは良くも悪くも人間の生き方から超越しちゃっている。

神だから当然と言えばそれまでだけど、祈ってもご利益はなさそうだ。

もうちょっと人間寄りの存在のほうがご利益はありそう。

「アズサよ、そなたも半神と魔法僧正とやらを発見したら連絡してくれ」

「はいはい。でも、ほぼ確実に見つけられないよ。私は高原の家とその周辺ぐらいしか行かないし」

普段の私の生活圏は狭い。

たまに魔族の土地や死者の王国に行くことはあるけど、そんなところに平凡な人生を送っている二十代女性はあまりいないだろう。


次の瞬間、私は高原の家のダイニングに戻っていた。

本当にいきなり戻されるな。移動時間という概念がないと変な気分だ。

「ママ、おはよ～！」

「突如、出現した。まるで神のよう」

ファルファとシャルシャがかなり差のある反応を示した。ファルファのほうは私が出現したぐらいなら問題なく受け止められるらしい。

ちょうど、ダイニングではみんなが揃《そろ》ってごはんを食べるというタイミングだったようだ。

「まさに神様に呼ばれてたんだよ。今回はたいしたことじゃなかった」

「お師匠様、本当に大丈夫ですか～？　また家族が巻き込まれるようなことはないです？」

ハルカラは神様の集まりという時点でまあまあ警戒していた。それが自然な反応か。

私は家族たちの顔を順番に見ていった。

それから、こう聞いた。

「二十代の人がいたら、手を挙《あ》げてください」

当然ながら、誰も手を挙げなかった。

この家で一番若いのは、おそらくファルファとシャルシャか。それでも、五十歳以上だよね……。

二十代の該当者なし。

じゃあ、平凡なところがある子はいるかな。

炎を吐《は》く。冷気を吐く。会社を経営、博物館も運営。スライムの精霊。幽霊。植物。

ペットのミミちゃんも対象に加えても……同じだな。ミミックの生態は人間を基準にすると平凡じゃない。

うん。我が家に魔法僧正になる可能性のある人物はいない！

この広い世界のどこかで、魔法僧正になった女性と半神という不思議な存在がいるのかもしれないけど、私たちには何の関係もない話だ。

ごく普通の人間だった私が、偶然にもレベルＭＡＸの人生を送ってしまっているわけだし、目立《めだ》たない二十代女性が魔法僧正になることがあったっていい。

◇

その日のお昼、私はファルファとシャルシャと一緒にフラタ村まで買い物に出かけた。

買い物をする前にスライムを倒して手に入れた魔法石をギルドで換金する。いつでもいいことだけど、溜《た》めすぎると重くなるからね。

ギルドに入ると、いつものナタリーさんがいなかった。でも、ギルドは開いているし、休憩か何かだろう。

のんびりした村なので、ほかのお店でも店主が買い物中でいなかったり、お昼寝の間、休憩時間になっていたりする。それで怒るような人もいない。

少しの間、壁に貼《は》られた依頼の紙でも眺《なが》めて時間をつぶそう。

「ロングハンマーイノシシの討伐《とうばつ》依頼、また出てたけど、誰かが解決したみたいだね。冒険者がやってくれてるのかな」

「ママ、こっちは変なモンスターが出てるから気をつけろって注意書きがあるよ～」

「分類不能の珍しいモンスターと書いてある」

言われてみてみると、たしかにそんな貼り紙《がみ》があった。たまにこのへんに出没するらしい。

「ふうん。そんなの、高原では見たことがないけどな。ファルファとシャルシャも注意してね」

――と、ギルドの奥で何かバタバタと音がした。

そのあと、ナタリーさんが慌てて出てきた。

「すみません！　後ろで片付けをしてまして……」

「いいよ、いいよ。腐るものでもないし、こんなのいつでも換金できるし」

「はい。そう言っていただけると助かります～」

無事に換金したし、あとは買い物だな。


そのあと、ごく普通の買い物をしていた時、私たちはごく普通の体験をした。

スライムが村の中を歩いていた。

「これは悪のスライム。退治しなければならない」

シャルシャが中腰になって様子を見ている。

スライムぐらいなら、村の中にだって現れるのだ。

無害だと思うけど、一応倒しておくかな。

だが、その時――

何か不思議な女性がパン屋さんの屋根の上に立った。

その人はどことなく魔法少女っぽく見える衣装を着ていた。

「崇高《すうこう》なる存在の祭祀者《さいししゃ》キュート・アンダーグラウンド、ここに登場！　スライムさ

ん、このキュート・アンダーグラウンドが勝手に邪悪と認定しておしおきします！」

「絶対に魔法僧正じゃん！」

これで違ったら逆に怖いよ！

一方、スライムのほうはとくに魔法僧正には反応していない。スライムの知性ならそれが普通だろう。

「では、スライムにおしおきを執行します！」

その魔法僧正はなぜかパンを手に持っていた。あれは真下のお店で買ったパンだな。

「キュート・アンダーグラウンドの名において命ずる。あのスライムを倒しなさい！」

すると、そのパンが巨体のイノシシのさらに倍ぐらいの大きさにまで膨れ上がっていく。

パンにはさらになぜか人相の悪い目までついていた。

「なんか、モンスターみたいになってる！」

そのパン（だったもの）は「パン、パン、パン、パン！　パーンッ！」と変な声を上げて、スライムに向かっていく。

どうなってるの……？　これじゃ村がパニックになちゃうよ――と思ったのだけど。

「ばあさんや、パンのモンスターじゃなあ。珍しいのう」「不思議な魔法だねえ」「新商品の宣伝かな？」

村の人たち、奇妙な現象に耐性がつきすぎ！

責任の一端は私にもあるので、少し反省した。常識外れのことをする誰かが来ることも多かったからな……。

リヴァイアサンが空を飛んでいるのと、パンのモンスターとどっちが特殊かと言われれば、リヴァイアサンのほうな気もするし。

ファルファとシャルシャも、とくに怖がってはいないようで、パンのモンスターを興味深そうに眺めていた。パニックになるのもよくないけど、それはそれでどうなのか。

「ねえ、二人とも、パンのモンスター（？）は大丈夫なの？」

「パンがあんなふうになるなんて、聞いたことのない魔法だから気になるよ！」

「村の誰かが宣伝かと言っていたが、そういう可能性もありうる。聞いたことのない魔法で興味深い」

ああ、魔法というカテゴリーでとらえてるんだな。

そういえば魔法少女のアニメとかの世界ではモンスターも魔法も一般的には存在しないことになってるはずだけど、こっちではモンスターも魔法も当たり前のようにある。だから、そこまでの刺激はないらしい。

ところで、あのパンのモンスターはどうなったかというと、スライムの真ん前にやってきていた。

「パーン、パンパンパン！　パーン、パパパパンパン！」

ずっとパンにちなんだ鳴き声らしきものをスライムに対して上げている。

「パーン！　パン！　パン、パンパン！　パッパパパン！」

いろんなリズムで叫んでいるが、スライムは気にせずぴょんぴょん跳ねている。

「ていうか、スライムを攻撃しないんかい！」

さっきから声しか出してないじゃん！　せめてスライムにのしかかるぐらいはしてもいいだろ。

「ま、魔法僧正は聖職者なので殺生禁断の誓いを守らないといけないのです……」

魔法僧正のキュート・アンダーグラウンドさんが屋根の上から説明してくれた。

私がパンのモンスターから離れないせいか、彼女も私のことが視界に入るのだろう。

「その誓いはけっこうなことだと思うけど、じゃあ、あのパンのモンスターは何の意味があるの？」

「邪悪なる存在に、村から去ってもらうためにいます」

ほほう。効果があるかどうかは別として、意見としては間違ったことは言ってない。ただ――

「パンのモンスターのほうが村に影響が出てるんだけど……」

遠くから見物してる村の人はいるとはいえ、さすがに近づこうとする人はいないので、パンのモンスターがいる村の一角は閑散としている。

だいたい、そのへんのものをモンスターにしてしまうのって、魔法少女と戦う悪の組織がよくやる手段であって、魔法少女がすることではないと思う。

すると、やっとパンのモンスターが体を斜めに向けた。

おっ、ついに何かやるのか！

スライムがぴょーんと跳ねる。

その下にパンのモンスターが自分の体を差し入れるようにした。上手い具合にパンの上にスライムが乗った。

そのままパンのモンスターは「パン、パン、パーン！」と言いながら、村の外に走っていった。

なんという、地味な対応……。


「悪の存在のスライムを排除しました！　みんなの平和は守られました！」


キュート・アンダーグラウンドさんが決めポーズみたいなのをとっているが、最初から村は平和だったとは思う。

それはそれとして。

「ねえ、キュート・アンダーグラウンドさん」

「何でしょうか、高原の魔女様！」

私のことは認識されているらしい。

「あなたを魔法僧正にした不思議な存在がいるはずだよね。その存在のことを教えてくれない？」

魔法僧正を大量に作られるとトラブルになりかねないし、神様たちに連絡しておこう。

「え、え、え……？　そんなものは、い、い、いいないですよ……？」

思いっきり図星だとわかる反応をされた。

「でも、あなた、登場する時に『崇高なる存在の祭祀者』って言ってたよね。だから、あなたが祀っている存在がいるはずなんだよ。その存在を教えて」

登場シーンのセリフが特徴的だったので一度聞いただけでも覚えていた。

「し、知りませんよ……。私はこの道十六日の厳しい修行を経て自力で魔法僧正になっただけですから……」

「修行期間が短め！」

車の免許を取得する感覚で魔法僧正になれるのか……。それはいいとして、この反応は確実に何か隠してるな。ある種、モロバレなので隠してないとも言えるのだけど。

——と、キュート・アンダーグラウンドさんがいる屋根の上に、ソーセージ状のものに手と足をつけたような何かが登ってきた。


絶対にあれが半神だ！

とにかく人間とかエルフとかオークみたいな、そういう種族とは根本的に違う！

いかにも、魔法僧正にならないかと提案してきそう！

「キュート・アンダーグラウンド、イマモンの使い方がまだまだ下手《へた》だっポー。スライムぐらい、とっとと村の外に連れ出さなきゃ時間がいくらあっても足りないポー」

しかも、語尾に変なのがついてる！

「すみませ〜ん。まだ変身に時間がかかっちゃってて〜」

「魔法僧正としての務めをしっかり果たせば願いをかなえてあげるから、しっかり働いてほしいっポー」

私はぴょんとジャンプして、屋根の上に登った。

「あの、お話し中、ごめんね」

半神がびくっとしたのがわかった。

「あなた、地底からやってきたよね？　悪いことをする気がないのはだいたいわかったけど、念のため、神様たちのところに来てもらえる？」

「な、な、な、何を言ってるかわからないポ……。私はどこにでもいる鳥だポー。ポポポポポ……」

「悪いけど、この世界のどんな生物にも似てないから言い繕《つくろ》うのは無理があるぞ」

魔法がある世界でも、言葉をぺらぺらしゃべる鳥は、どこにでもいたりはしないのだ。

「嫌だポ……。地底では全然信仰されなくて、子供だましだとか言われてるポー。しかも子供でも少年には恥ずかしいとか言われてる有様《ありさま》なんだポー……」

小さい女子向けの作品の反応に近い！

「ここで魔法僧正を増やして、私の信仰圏を増やすんだポー！」

半神は魔法僧正に視線を送った。

「ズラかるポー！　君は変身してるんだから正体はバレないポー！」

「ですね！　逃げましょう！」

キュート・アンダーグラウンドさんは半神を抱えると、そのままほかの屋根にどんどん飛び移って、離れていった。

生身《なまみ》の人間の身体能力をはるかに超えている。

パンのモンスターを作った時は脱力したけど、魔法僧正になったことで、いろんな力が大幅に向上しているのは事実らしい。

「ママ、あの速度なら追いつけると思うよ。追いかけないの？」

「おそらく森に潜伏して、そこから村に戻ってくるつもりのはず。森のあたりで見張れば尻尾をつかめる」

娘は二人ともあれは捕まえられると判断しているようだ。

スパイじゃあるまいし、身体能力はともかく、逃げ方も素人みたいなものだったし、見つけようと思えば簡単に見つけられるだろう。

「ううん。犯罪者ではないし、そこまではしなくてもいいかな。今のところやったのって、スライムを村の外に出しただけだし」

「もう少し、泳がせるんだね～」

「ファルファ、表現がちょっときついな……」

それと、実を言うと、魔法僧正のほうが誰なのか、想像がついているのだ。

「今度、魔法僧正だった可能性のある人に聞いてくるよ」

「母さん、もう正体がわかった？　それは名探偵……」

シャルシャが驚いているが、探偵要素はとくにない。

「私の勘が正しければ、魔法僧正状態の時は、元の状態の時から髪が伸びたようなヘアスタイルになってる。だから、キュート・アンダーグラウンドさんから髪を短くして、誰に似てるかイメージすればだいたい答えは出るかな」

魔法少女って、髪の毛を盛ってることが多いんだよね。

長髪の女子が変身してショートカットになるよりは、髪が増えたほうが強くなったような感じがするからだろう。髪の毛を長くすれば物理的にボリュームが出るからね。

もっとも、実際の変身時に髪が伸びすぎたら邪魔な気もするけど……そこは我慢《がまん》してるのかな。

「たしかに……。変装だと考えれば、カツラなどで髪を増やしていることはありうる……。母さんの推理が冴《さ》えわたっている……」

「いや……推理はしてないんだよね。強いて言えば、経験？」

たんに魔法少女という概念を基にして考えているだけだから、何も高度なことはしてないのだ。

村もすっかり平穏に戻っていて、パンのモンスターがいたようなところも平気で村の人が通るようになったので、私はファルファとシャルシャを連れて、高原の家に帰った。

そのあと、キュート・アンダーグラウンドさんは何度かフラタ村とその周辺に出没した。

モンスターが人間を襲わないように悔《く》い改めさせるためということらしい。

その都度、花や馬車といったそのへんにあるものをモンスターにしていた。

何度かは私も見た。そっちもモンスター使ってるじゃんという気もするが、これは半神の言葉を借りるとイマモンというらしい。多分イマジナリー・モンスターあたりの略称ではないだろうか。

やっぱり思想に問題はない。最低でも、人間を絶望の淵《ふち》に落とすみたいなことは言っていないし、やっていない。フラタ村に被害が出ているわけでもない。

しかし、イマモンを使う手法が広まるとトラブルになるな。

不思議なモンスターがたびたび出現する村という噂《うわさ》が村の外にまで広がると、村の評判も下がってしまう。

うん、一度、魔法僧正本人のところに行ってみよう。

◇

私はフラタ村のギルドに行った。

「あっ、高原の魔女様、こんにちはー！」

今日はナタリーさんがいた。

「うん、キュート・アンダーグラウンドさん、こんにちは」

ナタリーさんの頬《ほお》から絞ったみたいに冷や汗が垂れた。

人間って、こんなにすぐ汗って出るんだな……。

「おっしゃってる意味がよくわかりませんね……。ははは……」

そりゃ、隠そうとはするよね。

「あのね、ナタリーさん。魔法僧正の変身した姿って、元の姿からそこまでは変わらないんだよね……。だから、あっさり正体もわかっちゃうんだよ」

そう、ナタリーさんはわからないものと思ってるかもしれないが、そんなことはないのだ。

魔法少女の変身というのは、ネズミがカボチャの馬車になるような、そういう原型をとどめない変身ではなく、「元の見た目を参考にしつつイメチェンしました」ぐらいの変身なのだ。

なので、魔法僧正の姿から元の人物が誰だったかを考えることだって可能だ。

「いえいえ……人違いですよ……。ああいう変な活動をしてる人と一緒にされたら困りますね……ははは……」

私は無言でテーブルにナスクーテの町で配られていた新聞を載せた。

Newspaper
キュート・アンダーグラウンドの正体は
フラタ村のナタリーさんで確定か
顔がそっくり　出現タイミングがギルドの休憩時間などと一致
ポーと鳴く不思議な生き物、ナタリーさんの家付近でたびたび目撃される

私は顔を覆《おお》って、首を横に振った。

「もう、バレバレなんだよ……。村の中にも知ってて知らないふりをしてる人が一定数いるんだよ……」

そう、ナタリーさんが怪しいと思ったのは私だけじゃなかったのだ。いろんな人がピンと来たのだ。

狭い村だ。二十代ぐらいの年格好の女性というだけでも、けっこう絞られてくる。

「あわわわわわ！　わわわわわわ！」

ナタリーさんは口をぱくぱくさせている。知らぬは本人ばかりなりというやつだな。

「この調子だと、一週間後には魔法僧正饅頭《まんじゅう》なんてものをハルカラ製薬が作り出すよ。みんな、それぐらいにはフットワークが軽いよ」

「どうしましょう、プロティピュタン様！」

ナタリーさんの声に呼応するように、テーブルの上に半神が上がってきた。カウンターの後ろ側にでもいたんだろう。

それにしても、あんまりかわいくない名前だな……。

「まさか、こんなに早く広まってしまうとは予想外だったポー。しかも、知られているくせに魔法僧正になりたいという声はなくて、好奇の視線ばかり集めてるようだポ……」

マスコットキャラがしゃべる。

そりゃ、パンや花を不思議なモンスターに変えてる何者かだからね……。悪役がしそうなことをやって、私もなりたいと思う純真な人はあまりいないだろう。

ほかにも人気が出づらい要因はあった。

魔法少女がかっこよく見えるのは、倒すべき悪がはっきりいるからなのだ。

村を襲うモンスターを倒せば、賞讃《しょうさん》だって浴びる。

しかし、この半神とキュート・アンダーグラウンドさんは、限りなく無害なそのへんのスライムとかに勝負を挑んでいただけだ。

二人の行動は村にとってもとくにありがたいものではなかった。

その結果、あこがれる人はおらず、変なことをしている人とだけ認識されているのだ！


「やむをえないポー！　ひとまず変身だポー！」


半神の声にナタリーさんはうなずいた。

「ナタリー、変身します！　アンベンビー、ホイヒー、ヘイフッフーラ、ホリマー……」

「呪文《じゅもん》みたいなのが長い！」

全然変身できてないぞ！

「魔法僧正はあくまでも聖職者。私を信仰する経典《きょうてん》を詠唱《えいしょう》しないとダメだポー」

かなり効率が悪い。信仰に効率を求めるのはおかしいんだろうけど、急がないとまずい時は大変だな。

「詠唱が終わりました！　変身します！」

ナタリーさんの体が金色に輝く。

その金色の体の腕や足に少しずつ服に当たるものが現れてくる。

いかにも魔法少女の変身シーン！　けど――

「変身がけっこうかったるい！」

「し、仕方ないんですよ……。これはこういうものなんです……」

「変身中に魔法僧正に話しかけるのはマナー違反だポー！」

魔法少女の変身は演出だとわかってるから違和感ないけど、現実にやたらと時間をかけて変身してるとシュールだな……。

しばらくして、金色の部分はすべてコスプレみたいな派手《はで》な服に変わっていた。

髪も普段のナタリーさんとは比べ物にならないほどに伸びている。

「おお、本当にそれっぽい変身をした！」

「崇高なる存在の祭祀者キュート・アンダーグラウンド、ここに登場！　この世界の平和のためにこの力を使えればいいなと思っております！　微力ではありますが、精一杯戦い続ける所存です！」

なんだか政治家の選挙演説みたいだな……。

「ということなんですが、プロティピュタン様、どうしたらいいんですか？　戦うべき邪悪なモンスターがここにはいませんよ。私たちの正体を知っている人がいるだけですよ」

キュート・アンダーグラウンドさんは早速マスコットキャラクター的な半神におうかがいを立てている。

敵がいない状態で変身することが想定されてないのだろう。

「もしかして、口封じのために戦えとか言いませんよね？　高原の魔女様になんて勝てないですよ……。千回戦っても一度も勝てないです。おそらく一秒で負けます……」

どうも、物騒なことを言っている……。

「大丈夫っポ。私に任《まか》せるポー。まずは人気のないところに逃げるポー」

「わかりましたー！　逃げるが勝ちです！」

すると、二人はギルドの裏口から外に出ていってしまった。

別に追いかけずに神様に連絡するという手段もとれるのだけど、それはあんまりな気がするし、追いかけるか。

キュート・アンダーグラウンドさんは以前のように屋根の上をどんどんジャンプして進んでいた。

あんなことは一般人のナタリーさんにできるわけがないので、魔法僧正の姿になると身体能力が大幅にアップするのは間違いないようだ。

その要素をもっとプッシュすれば魔法僧正になりたい人も増えるかも。でも、魔法僧正の能力が高いのは邪悪なものと戦うためだから、変身している間に引っ越しのバイトをするみたいなのは反則なのか。

まあ、いいや。真剣に追いかけよう。

私は地面を走って、キュート・アンダーグラウンドさんを追う。

村を出ると、キュート・アンダーグラウンドさんは速度を上げた。

方角からして、森へ向かうらしい。

どういう魂胆《こんたん》があるのか謎《なぞ》だけど、ある意味、人気がないほうがいいのは、こっちも同じなんだよな。半神の話が広まるとややこしいことになるかもしれないし。

時々、前を行くキュート・アンダーグラウンドさんが後ろを振り返ってくる。

「うわ！　全力で走ってるのに、涼しい顔でついてくる！　私もものすごい速度のはずなのに！

本当に高原の魔女様は化け物です！」

「褒《ほ》める時の表現が失礼だよ！」

「プロティピュタン様、打つ手はあるんですよね？　そうでなきゃ困りますよ！　あと、結婚相手を見つけてくれなきゃ、信仰もしませんよ！」

あっ、そういう理由で魔法僧正をやっていたのか。

魔法僧正になると願いがかなうんだったな……。

「大丈夫っポ。これでも最盛期には百人を超す魔法僧正がいたポー。手腕はあるポー」

そんなに魔法少女って必要なのかと思うけど、魔法僧正という教団の僧侶だと考えればおかしな数字じゃないか。

「でも、今は私しか魔法僧正はいないんでしょ。少し疑っちゃいます……」

「そんなこと言うなポー。地底でダメでも地上ならワンチャンあるポー。第二の最盛期を作ってみせるポー」

この様子だと、信仰してくれる人が減って、地上に出てきたらしい。

考えとしては松の精霊ミスジャンティーに似てるな。

半神のポジションって精霊みたいなもののはずだから、余計に近い気がする。

そのままキュート・アンダーグラウンドさんは森の中に入り、ようやく足を止めて、こちらを振り返った。

「それで、どうするつもりなのかな?」

私としては軽くジョギングした格好だ。これぐらいで汗だくになるほど、体はなまっていない。

「本当にどうするつもりなんですか……？　戦えと言われても、戦いませんからね。ほかの選択肢を提示してくださいよ」

キュート・アンダーグラウンドさんも、半神に尋ねている。

この状況でとれる選択肢といえば…………泣き落としかな？

黙っててくださいと頼みまくるぐらいしか手段が残されてない気がする。私一人が黙ってても、すでに公然の秘密になっているので無駄《むだ》なんだけど。

「打つ手は本当にあるポー。この最大の危機を一発逆転できる秘策だポー。きっと、その手があったと思うはずだポー」

この半神、自分からハードルを上げていってるけど、大丈夫なのかな……。

「じゃあ、やってみたらいいよ。どうするつもり？」

すると、半神は呪文の詠唱のようなことをはじめた。

聞いたことのないタイプの詠唱だから、おそらく地底世界かこの半神に特徴的なものなのだろう。

さっきまでの流れからして攻撃魔法を仕掛けてくるとは思えないし、そんなに危険はないだろう。

半神というぐらいだし、便利な魔法を持っている可能性はある。たとえば、一時的に眠りに落ちちゃうとか。

詠唱を終えると、半神はその手を私のほうに向けた。

「さあ、変身するポー！」

えっ、変身？　まさかカエルにする魔法みたいなのを持ってるの……？

「魔法僧正キュート・アビス誕生だポー！」

「へっ……？」

私の体が金色に輝きだす。

不快感はなくて、体がぬるま湯につかっているみたいに温かいけど、これって、もしやもしや……。

魔女のローブが消滅する。

そこに代わりに別のひらひらした服のようなパーツが少しずつひっついてくる。

これは、本当に……。

気づいた時には完全に魔法少女らしい姿になっていた！

「毎日こつこつ、継続は力なり！　魔法僧正キュート・アビス！」――変な決めゼリフみたいなのが勝手に口から出た！」

「成功だポー！　私はまだ何人も魔法僧正を作るぐらいの力はあるポー！」

半神は喜んでるが、全然状況がわからない。

「ふざけないでよ。私を魔法僧正にして、何が解決するの？」

「ふっふっふ。これぞ、『秘密を知られてしまったなら、秘密を共有する側にしてしまえばいい理論』だポー！」

な、何だってー⁉

いや、むしろ、「何を言ってるんだ⁉」が正しいのか？

「同じ魔法僧正になってしまえば、ナタリーが魔法僧正である話を広めることもできないポー！」

しかし、半神は自信満々である。

そういえば――前世の魔法少女の展開でも、魔法少女の正体に気づいた女の子が次の魔法少女になるっていうのは、けっこうあったな……。

半神の理屈の中では、これでどうにかなることになっていても、おかしくはないのか。少なくとも本人はそう考えているようだ。

「きゃー、キュート・アビス、かっこいいです！」

キュート・アンダーグラウンドさんに褒められた。どうでもいいけど、同僚（？）になったからか、彼女も私への敬称は省くんだね。じゃあ、私もキュート・アンダーグラウンドと呼ぶか。

「一緒に悪を倒しましょうね、キュート・アビス！」

「あの……キュート・アンダーグラウンド、私はそんなことするつもりはないからね？」

だいたい、私一人が黙ったところで何も解決しない。

「ねえねえ、マスコットキャラ」

「変な呼び方をやめるポー。プロティピュタンという名前があるポー」

名前が言いづらい。早口言葉で三回言えと言われたら相当難易度高いと思う。

「プロティピュタン、私以外にもナタリーさんが魔法僧正って話は広まってるんだよ。仮に私が魔法僧正側になったとしても、解決には程遠いでしょ」

そう、私だけが魔法僧正に気づいたとかいった次元のことじゃないのだ。

「そこも考えているポー」

おっ、意外とちゃんと対策があるんだろうか。

「この近隣住民をすべて私の信者にすれば、誰が魔法僧正だとかバラしたりはしないポー！」

「理論上は可能でも、現実にはできないやつ！」

私は試しに適当な詠唱をやってみた。

すると、光線が出て、近くの木にぶつかった。

その木に怖そうな目がついてモンスターみたいになった。

そして、枝を足のようにして動き出す！

「すごいな……こんなことできるんだ……」

「ウッドー！　ウッドー！」

そして鳴き声がやっぱり雑だ！

「ねえ、そのプロティピュタンを少し縛ってくれる？」

木のモンスターは枝を鞭《むち》みたいに伸ばして、プロティピュタンを拘束した。

「あっ、ちゃんと私の命令は聞いてくれるんだ。魔法少女の悪者が作ったモンスターも、悪者の言うことは聞いてたもんな」

「うわーっ！　何をするポー！　魔法僧正が私に逆らうなんて反則だポー！」

プロティピュタンはあがいているが、手も足も人間と比べるとかなり短いので、ほぼ無意味だった。

「もう、私の手には負えないから、神様に連絡することにするわ」

この姿をメガーメガ神様やニンタンに見られるのは、相当恥ずかしいが……。

そこは我慢しよう……。

◇

プロティピュタンは神の世界に連行された。

それと同時に私もまた神の世界に移動した。おそらく事情を説明する役目を果たさないといけないだろう。

一方、魔法僧正とはいえ、人間であるナタリーさんはそのまま森に残った。神様だらけの空間に来ちゃうと、精神のショックも大きそうだし、しょうがない。

プロティピュタンはデキさんの姿を見た途端、「デキアリトスデ様、失礼いたしましたっポ……」と怖気《おじけ》づいていた。

デキさんのこの姿は地上に出てからのものだけど、すぐに誰かわかったらしい。

デキさんだけでなく、メガーメガ神様やニンタンもいて、その半神という存在をじっと観察している。メガーメガ神様なんか、必要以上に顔を近づけていた。

「ふむふむ～。面白い姿をしてますね～。人の姿に近いですけど、全体的にコミカルです」

「そんなことはないと思ってるっポ……。地底ではそこまで珍しくはないっポー」

本人はそう言ってるけど、私たちの価値観からするとコミカルというのはよくわかる。

身長も私たちと比べると低いし、子供向けアニメに出てきそうな感じがあるのだ。

「珍しくないということは、地底の住人はあなたみたいな姿をしてるんですか？」

メガーメガ神様が尋ねた。そう、それが私も気になる。

もっと私たちの価値観からすると不気味なクリーチャーみたいなのが蠢《うごめ》いている印象があったんだけど、この半神みたいなのばっかりなら、ちっとも怖くない。

むしろ、ギリギリで「かわいい」の部類に入ると思う。

「私みたいなのもいれば、丸いのや三角錐《すい》のやひし形のや、円錐みたいなのも、正二十面体みたいなのもいるっポー」

図形の問題みたいになってきた！

というか、地底のことならニンタンがデキさんから聞いていたんじゃないのか。

「ねえ、ニンタンは地底のことを聞いてなかったの？」と尋ねてみたら、ニンタンはお手上げというように、天を仰《あお》いだ。神でもそういうポーズをとるんだな。

「もちろんデキアリトスデからいろいろと聴取したぞ。しかし、説明が下手すぎてちっとも実態がつかめぬ！」

ああ……。デキさんは絵心がない人だから、説明も下手なんだろうな……。

「神の公式見解では『個性豊かな生物がたくさんいる』というところで留《とど》まっておる……。そんなのは何も言ってないのと同じである！」

「たしかに個性の豊かじゃない生物って逆にどんなのだよって言いたくなる表現だ」

これはまだまだ地底の詳しいことについてはわからないままだな。でも、わからないままなぐらいのほうがいい気もする。

「それで、このプロピューティタンの処遇であるが」

「あの、プロティピュタンですポー」

「名前が発音しづらい……。その、プロティピュタンのことだが、デキアリトステはどうするつもりか？」

ニンタンの表情がさっきよりは真剣なものになっている。

「このプロティピプタ……」

「あ～、ニンタンさん、噛みましたね～。今、噛みました！　しっかり噛みました！」

メガーメガ神様が指摘するまでもなく、思いっきり噛んだ。

「黙れ！　言い慣れない言葉だから仕方なかろう！　ごほん」

仕切りなおすつもりのようだ。

「この半神を作り出したのはデキアリトステだから、取り扱いもそなたに任せる。ほかの神から意見を求めるのは好きにすればいいが、最終決定権は造物主にゆだねる」

ニンタンが真剣な顔になった理由はそれか。

プロティピュタンの運命はデキさんの手にあるわけだ。

「地底に戻すと言うなら、そのようにせよ」

「ポー！　ポポポポポー！　それは嫌だポー！」

プロティピュタンが叫んだ。

「地底にいる生物の姿を見ていたら、不安になってきたポ……。あれ以上いたら、精神にダメージが入るポー！　もう、戻りたくないポー！」

地底の大いなる存在が心に闇《やみ》を持っている！

「それに、地底では人気がないんだポー！　古臭い奴扱《やつ》いでまともに信仰してもらえないポー！」

そんなことも言ってたな。

長いスパンで見れば人から信仰されるような存在さえ、栄枯盛衰《えいこせいすい》があるのだ。人気が落ちちゃって忘れられることだってあるだろう。

なお、デキさんはというと、ぽか～んとしていた。

話を聞いてなかったのではという気さえしたけど、いっつもデキさんはこんな感じなのだ。浮世離れしているので、よくわからない。

「できれば地上にいたいポー。ほ、ほら、造物主のデキアウィィウィスデ様もいらっしゃいますしポー……」

地底の存在も嚙むんかい！

しかも、いかにも噛んではいけない状況でデキアリトスデの名前を噛むか。どうして肝心《かんじん》なところで印象を悪くするのか……。

「じゃあ、いたらいいデース」

デキさんがあっさりとしすぎていたので、プロティピュタンも一瞬、何を言われたかわかっていなかった。

「よ、よいのですポー？」

「好きなようにすればいいデース。ワターシ、いろいろ決めるの苦手ナノデース。問題起こさないならそれでいいと思いマース」

たしかにデキさんの言うとおりで、判断の決め手は問題があるかないかだ。

そこが大丈夫と判断されたのであれば、ダメという理由もない。

「やったポー！」

こうして、プロティピュタンが地底に強制送還されるということはなくなった。

私もプロティピュタンを見つけて、神様たちに連絡した立場だから、肩の荷が下りた気持ちだ。

こういう形で関《かか》わってしまうと、責任が生じちゃうよね。

「これで地上世界でも魔法僧正をどんどん増やしていくポー！　毎年四人から五人の追加を目指すポー！」

「そういう目立つことがまさに問題なのだぞ！　あんまり余計なことをすると帰ってもらうからな！」

ニンタンが早目に釘《くぎ》を刺した。あんまりナタリーさんみたいに変身する人が増えてもまずいからね……。

「わかったポー。極力、少人数でどうにかするポ……」

「うむ。それなら大目に見ぬこともない」

ニンタンも納得したようなので問題ないみたいだけど、それってナタリーさんはキュート・アンダーグラウンドを続けるということなのか……？　今のところ、魔法僧正そのものが否定されているわけではないみたいだし。

まあ、神様がいいと言ってるのに、私がケチをつける必要はないな。

「うんうん、これにて一件落着だね！　いやあ、地元の村でこんな不思議な事件が起こるなんて――」

「ところで、アズサよ、そのへんてこな格好は何か？」

ニンタンにきっちり指摘された。

そう、私は魔法僧正キュート・アビスのままだったのだ！

「あー！　そういえばアズサさん、魔法少女みたいですねー！　なかなか似合ってますよ！　かっこいいポーズとってください！」

「くそっ！　メガーメガ神様にも気づかれてしまった！」

最も気づかれたくない相手にも意識させることになってしまった。逃げ切るのは失敗に終わった。

もっとも、見た目が明らかに変わってるのに、それに触れずにいてもらうというのは無理があるか……。最善手は魔法僧正の正体に気づいた時点で、神様に通報することだったか……。

「これが魔法僧正の姿なんですよ。私まで魔法僧正をやらされそうになったから、神様に連絡したんです……」

何かあるたびにこの姿になって戦うのは勘弁《かんべん》してほしいからね。そこまでして神様から半神を隠し通す義理はないからな。

「というわけで、プロティピュタン、元の姿に戻し――」


「せっかくだから、一回魔法少女として戦ってくださいよー！」


私の声をメガーメガ神様の声がかき消した。

しかも、悪ふざけではなく、ものすごく期待のこもった眼差《まなざ》しを向けている……。

ヤバい。この人、本気で見たがっている……。

「あの、できれば遠慮したいんですが……」

「一回ぐらいいいじゃないですか！　ほら、一回だけ！　一回だけ！」

ニンタンまで「一回ぐらいよいであろう」と言ってきたので、逃げ道をふさがれた。

「お願いしますよ、アズサさん！　一生のお願い、一生のお願い！」

「神様が言う一生のお願いは重すぎますよ！　やりますよ！　やればいいんでしょ！」

◇

私はキュート・アンダーグラウンドが待っている森に突如、舞い戻った。

向こうからしたら空から降りてきたように見えただろう。

「あっ、キュート・アビス！　どこに行ってたんですか？」

まだ、その名前で呼ぶんだな。あくまでもナタリーさんじゃなくて、キュート・アンダーグラウンドのスタンスなんだな。

「大事な話し合いをしてた。それと、一回はこの姿で戦わないといけなくなったんだ」

観客がたくさんいるわけじゃないから我慢しよう。観客がいるなら無理。せめて高原の魔女ってバレないぐらいに見た目を変えてほしい。

「でも、戦うって何とで――」

キュート・アンダーグラウンドが言い終わる前に森の奥から巨大なパンのイマモンが現れた。

「あれは前に私が呼び出したイマモンじゃないですか！」

「そう、イマモンが悪の力を吸い込んで、凶暴化したの」

そこにプロティピュタンも現れる。

「あのイマモンは森を破壊してパン作りに必要な小麦畑にするつもりっポー。放っておくと森がなくなるっポー！」

そんな凶暴化するようなものを使うなと思うけど、あくまでも余興のために一時的に敵を作ってもらったのだ。

「あれと戦えばいいんですね、キュート・アビス？」

「……うん、そういうこと。その呼ばれ方、落ち着かないな」

「あれ？　でも……」

キュート・アンダーグラウンドは何か問題点を発見したらしい。

「イマモンを作って戦うとなると、そのイマモンがまた凶暴化しちゃうおそれがありますよね……？」

「その指摘は正しい」

やっぱり、魔法少女の敵がやるような戦い方を魔法少女がとるべきではないのだ。

「その点を踏まえて、今回は肉弾戦中心で戦うっポー！」

プロテイピュタンが両手を上下しながら言った。

「そういうこと。二人でやっつけるよ」

「た、戦えますかね……？　私、素手でモンスターを倒したことはないんですが……」

そりゃ、ギルドの職員をしていて、そんな機会はないよね。モンスターを素手で倒せるなら、冒険者のほうをやるよね。

「そんなに危なくないと思うからやってみて。危なそうだったら私もサポートするし」

「わかりました！　やってみます！」

キュート・アンダーグラウンドは怖々とパンのイマモンのほうに向かっていく。

「パン！　パーン！　パン、パン、パーン！」

相変わらず、パンしかしゃべらない。もっとも、人語をぺらぺらしゃべってると倒しづらいから、これでいいのだろう。

「えーい！　パーンチ！」

あんまり勢いのないキュート・アンダーグラウンドのパンチがイマモンに当たる。

パンが少しへこんだ。

その影響か、パンの香ばしい匂《にお》いがこっちまで漂ってきた。

「さすがパンの敵だけはあるな。おなかがすいてきそう」

さあ、もう一回決めて。

「今度は、キックでーす！」

いちいち攻撃手段を口に出して、キュート・アンダーグラウンドが足をぶつける。

またパンの匂いが伝わってくる。どことなく楽しい戦いだ。

だが、敵もずっと無防備な姿をさらしてはいない。パンから伸びている手をキュート・アンダーグラウンドに叩《たた》きつける。

「パーン！　パーンパンパンパン！」

「わわわわーっ！」

キュート・アンダーグラウンドは両手をクロスしてそれを受けた。大丈夫とは聞いているけど、少し心配になるな。サイズだけなら敵のほうがずっと大きいからね。

でも、すぐにキュート・アンダーグラウンドの意外そうな声が飛んできた。

「おや？　たいして痛くないですね」

「魔法僧正の肉体はとっても強化されてるポー。魔法耐性もあるポー」

本当に強くなっているみたいだ。

「じゃあ、私も参加しようかな！」

キュート・アビスが戦うところも見せるって、メガーメガ神様と約束したからね。神様との約束は守らなきゃ。

「キュート・アビスのキックだよ！」

私がキックをすると、パンが大きくへこんだ。

そして食欲を刺激する、強烈な香ばしい匂い！　こんなおいしそうな戦闘は初だ。

パンチも、うん、変身する前とあまり差はないな。もしかすると私は変身前より弱くなってるかも。

まあ、魔法少女らしさは見せられているだろ。

「よし、キュート・アンダーグラウンド、二人でとどめを刺すよ！」

「二人でって、同時にキックするってことですか？」

「いや、特別な武器があるんだよ」

私はキュート・アンダーグラウンドのところに行って、手をかざすように伸ばした。

そこに巨大な弓が現れる。

長さは一メートル半はあるんじゃないか。矢のほうも特大だ。

「それは魔法僧正だけが使える正義の弓矢っポ。それを二人で引いて、あのイマモンを射るっポー」

「こんな弓、使えないですよ！　大きすぎますって！　魔法僧正の筋力でも無理があります！」

「それが二人なら使える――らしいんだよ。やってみよう！」

私たちは一緒にその弓をぐっと引く。

力をこめると、ちゃんと動いてくれた。

あとは、狙《ねら》いを定めるだけだ。

そこにプロティピュタンがやってきて私、キュート・アンダーグラウンドの順に耳打ちした。

「……決めゼリフみたいなのがあるんだね。わかった、言うよ」

ここまで来て、恥ずかしがってもしょうがないしね。

「「悪の心にも届け、信仰の矢！」」

私とキュート・アンダーグラウンドが声を揃《そろ》えて、矢を放つ！

その矢は吸い込まれるように、パンのイマモンに直撃した。

「パァ〜〜〜〜ン♪」

そのイマモンは最後に怒りの表情から楽しそうな表情に変化して、消滅した――――と思ったら、森にパンが落ちていた。ただのパンの姿に戻ってくれたらしい。

「よし、お仕事完了だね」

プロティピュタンも「お見事だポー！」と両手を振り上げている。勝利のポーズみたいなものらしい。

キュート・アンダーグラウンドのほうは、寝起きみたいに少しぼうっとしていた。

それから、ちょっと目をうるませながら私のほうを向いた。

えっ？　泣くようなところってあったっけ？


「あの……キュート・アビス、私、なぜか胸が熱くなってます……。なんででしょうか……？」


「細かいことはあなたにしかわからないけど……悲しい理由じゃなさそうだから、別にいいんじゃない？」

「そうですね、正義の味方になれたからうれしいというのとも違うと思うんですが、とっても達成感があって……」

これはあくまでも私の想像だけど――ギルドの職員という裏方の仕事から初めて戦う仕事をやって、気持ちが高揚しているんじゃないかな。

普段は意識してなくても、たまには格好よくモンスターを倒したりしたいって気持ちがナタリーさんの中にあるのかも。

冒険者にまったく興味がなかったら、ギルドの職員なんて仕事を選ばない気もするし。就職した時はさほど意識してなかったとしても、冒険者を毎日見ていれば、自分も戦ってみたいと思うことだってあるだろう。

もっとも、正解は本人にしかわからない。キュート・アンダーグラウンドがナタリーさんに戻った時に自分で理由を決めればいいことだ。

プロティピュタンも「よかったポー！　これまでで一番の活躍だポー！」と彼女を讃《たた》えていた。

「はい！　この森は守られましたね！」

「あんまり派手に動くと、その……私の上司からにらまれるかもしれないけど、細々とこれからもやっていければうれしいっポー」

「ですね！　私も活躍して、願いをかなえてもらいます！」

キュート・アンダーグラウンドは目をキラキラさせて言った。

「イケメンの結婚相手見つけてくださいね！」

プロティピュタンは体をくるっと百八十度ひっくり返した。

「善処《ぜんしょ》するポ……」

「ちょっと！　なんで、こっちを向いて言ってくれないんですか！」

その様子を見ていた私の真横にデキさんが出現した。

前触れがないので、毎回びくりとする。ここ、ナタリーさんもいるんだけどな……。

「プロティピュタンの信仰が陰った理由、そのうちの一つは多分アレデース」

「アレってどういうことですか？」

「願いを自由にかなえるほどの力は持ってないデース」

「ということは、願いがかなわないこともあるってことですか……？」

「そういうことデース！」

その話を聞いていたキュート・アンダーグラウンドはぷるぷるふるえていた。

「場合によっては詐欺《さぎ》で訴えますよー！」

キュート・アンダーグラウンドが叫んだ時には、もうプロティピュタンは森の中へと逃げだしていた。

「信仰は願いの代価のために行うものではないポー！」

正論だと思うけど、だったら、プロティピュタンを信仰しないよね……。

「もしかして、まずかったデスカー？」

「いや、説明責任を果たしてないプロティピュタンにも問題あるし、いいんじゃないかな……？」

結局、キュート・アンダーグラウンドを落ち着かせるのに三十分ぐらいかかった。

契約の問題をいいかげんにすると、あとでトラブルになるのだ。

「さて、ノルマは終わったし、私もこの魔法僧正の姿から元に戻してよ」

戻り方を私はまだ聞いていない。この姿で高原の家に帰ることは絶対にしないぞ。

「そうだったポー。じゃあ、今から方法を教え――」

方法を聞く前に、私の体が光って――いつもの魔女のローブ姿になっていた。

「ありがと。もう戻してくれたんだ」

「違うポー。その前に自然と解除されたポ……。どういうことだポ……」

「えっ、原因不明の理由で変身が解けたの？　気味が悪いけど、今後、変身しないなら別にいっか……」

プロティピュタンは私をじぃっと眺めて、それからこう聞いた。

「ところで、君は何歳だポー？」

「実年齢ってこと？　だったら約三百歳だけど」

「それだポー！　魔法僧正に最も適しているのは二十代女性だポー！　私の力で強引に魔法僧正にしても長時間は保《も》たないんだポー！」

「なんか理由が引っかかるな！」

勝手に魔法僧正にしておいて、その言いぐさは何だ！

魔法少女の事件はこうして幕を閉じた。

◇

私が魔法少女になった数日後の夜。

夕飯後、ファルファとシャルシャはダイニングで魔族の魔法配信を見はじめた。

私はお皿を洗いながら視聴中の二人を眺めている。

すっかり、テレビを見る子供みたいになってるな。

新しいものに興味を持つのは悪いことじゃないからいいか。

その魔法配信は、魔族が話題のニュースを検証していくというものらしい。報道番組みたいなものかな。

『次のニュースは人間の国に突如現れた魔法僧正という謎の存在についてです』

びくっとして、私はすぐに魔法配信が見えるところに移動した。

『各所に取材班を控えさせていましたら、見事にパンのモンスターと戦う魔法僧正を画面に収めることができました！　ごらんください！』

そこには弓矢を放っている私とキュート・アンダーグラウンドの姿が……。

「うわあああああ！　そんな取材なんてしなくていいからっ！」

「あれ？　この魔法僧正さん、ちょっとママに似てない？」

「顔が母さんとまったく同じ。これは同一人物」

「アズサ様、こんな派手な服装もされるのですね」

「お師匠様、ハルカラ製薬の広告塔にどうですか⁉」

「ごてごてした服で動きづらそうなのだ」

「魂《たましい》が同じだからすぐに姐《ねえ》さんだとわかりましたよ」

「人間って物好きね」

私が悲鳴を上げたことで、キュート・アビスが私だったということは家族の中に知れ渡ることになったのでした……。

ナタリーさんが正体を隠すのも下手だったけど、私も大差ないな。そこで反応しちゃったら自分だって言ってるようなものだ。

ペコラに知られると、確実にいじられるから、魔族には正体がバレませんように……。本当に、本当にバレませんように……。

「食べるスライム」の類似品が出た

She continued destroy slime for 300 years

ワイヴァーンが高原目指して飛んできたので、今度はいったい誰《だれ》が来たのかなと思った。

だが、なんとペコラが一人で来るとは。

「こんにちは、お姉様♪」

「うん、こんにちは。唐突《とうとつ》な登場だから、たいして用意もないけど、お茶ぐらいはあるよ」

いや、魔王ペコラが直々《じきじき》に来ることは珍しくもないんだけど、一人でというのはけっこう珍しいな。いくらカジュアルなノリで生きてるとはいえ魔王なのだから。

しかも、なんとなく今日のペコラはピリピリしている気がする。発している空気がいつもと違うのだ。悪だくみを持ってきたという雰囲気でもない。

何か腹立たしいことでもあったのかな。

その愚痴《ぐち》を言うためにやってきた？

おそらく、その読みはそこまで外れてはいないはずだ。

まあ、言いたいことがあればペコラは全部言うだろう。ペコラが力みすぎるのなんてアイドルの一件があった時ぐらいだと思う。

——というわけで、私はペコラにお茶を出して、ごくいつもどおりに、もてなすことにした。

私は当たり障《さわ》りのない、ここ最近の世間話などをする。

ペコラも魔族の土地の似たようなどうでもいいような話をする。

ペコラはいつもより、サバサバしてるようだけど、核心に触れるようなことは言ってこなかった。

うん、今のところの対応は間違ってない。

いちいち、何かピリピリしてるみたいだね、なんて聞かないぞ。

こっちから聞き出そうとすると何かお願いされた時に断りづらくなって、面倒に巻き込まれるリスクも高くなるからね。

そして、しばらく話しているうちにペコラのティーカップが空になった。

「あら、なくなっちゃいましたね」

「じゃあ、もう一杯いれてくるよ」

「あっ、そうでした。お茶請《う》けになるかと思って、お菓子《かし》を持ってきたんです」

ペコラは小さい木箱をテーブルの上に置いた。

それならありがたく使わせてもらおう。いったい、どんなお菓子かな？

ペコラはその木箱を開けた。

そこには妙に見慣れたフォルムのお菓子が入っている。

表面はやわらかそうで、見た目は饅頭《まんじゅう》にそっくりだ。

しかも、焼き印がついていて、顔みたいになっているような……。

「これは魔族の土地で買ってきた『甘いスライム』というお菓子です」

「『食べるスライム』にやけに似ている！」

「そうなんです！　それが問題なんです！　ほら、中も見てください！」

ペコラはお菓子を一つ手にとって、割った。

中には餡子《あんこ》らしきものが詰まっている。

「これはお姉様の作った『食べるスライム』にそっくりです！　お姉様のお菓子が盗作された疑いがあります！」

ああ、ペコラがピリピリしていたのはそれが理由だったのか。

「落ち着いて、落ち着いて。味が全然違うのかもしれないし」

私はその「食べるスライム」っぽいお菓子を一つかじってみた。

まさに饅頭の味がした。

「豆の種類は違うけど、製法はほぼ同じかな……。しっとりこしあんタイプか」

口の中には完全に饅頭の味が広がっている。

皮が少しぱさついてるけど、餡子の水分が多目だから、その分、皮はぱさついていても大丈夫という考えなのだろうか。

「甘さが前に出すぎてるから、もう少し砂糖の量は減らしたほうがいいのかな。それはそれとして、

『食べるスライム』に近いことは近いか」

「そうなんです！　近いんです！　お姉様の開発したお菓子をパクるとは不届き者です！」

「待って、待って！　別に企業秘密なんてないし、同じ製法で作ったから違法なんて法律もないでしょ？」

どうもペコラは私のことが絡《から》んでいるからか、いつもより血の気が多くなっている気がする。

そのぶん、私が冷静にならないと。

もっとも、冷静さを欠くような要素は私のほうにはないから（仮に「食べるスライム」を真似《まね》されても何も思うところはない）、普通に対応すればいいのだが。

「はい、おいしいと思ったものの味を再現しようとするのは、ごく自然なことかと思います。スパイが入り込んで、秘伝のレシピを盗み出したわけでもないですし」

そこはあっさりペコラも認めてくれた。

「だよね。だから、もし仮に『食べるスライム』からこのお菓子が作られたとしても、別に何の問題もないんだよ」

だいたい、「食べるスライム」だって私の独創でも何でもなくて、前世の知識を基に作ったにすぎないんだよね。

さらに言うと、似た味の饅頭なんて日本中にあったし。餡子というものに劇的な味の違いなんて出せないし、形状だって正二十面体や牛や馬にそっくりの形になんてできないから、各地に「○○饅頭」というものがあれば、似たものだらけになる。

もはやオリジナルがどの饅頭かすら、定《さだ》かではないだろう。確実に、著作権みたいな整備された法律が生まれる前からあったはずだし。いや、お菓子のレシピって著作権がカバーする範囲なのか？　よくわからん。

「ええ、法的な問題は何もありません。腐ったお菓子を売ってるわけでもないですし。完全にシロです」

ペコラが自分の口から問題ないと言ってくれた。

だったら、すべて解決じゃないか。解決というより、まさに問題そのものが存在しなかったのだ。

「ですが、わたくしの気持ちが納得しないんです！　かぷっ、もぐもぐもぐ！」

ペコラは「甘いスライム」というお菓子を口に放り込んだ。

むすっとしながら、お菓子を食べるのって、不思議な光景だな……。

「私としては、真似されたとしたら、光栄ぐらいの気持ちだけどね。近所の町で真似されて、『食べるスライム』が全然売れなくなったりしたら残念だけど、魔族の土地でなら商売敵《がたき》にもなりようがないし」

私に実害はない。さらに饅頭が広まるなら、むしろ喜ばしいことだ。

豆を甘くしてお菓子にするというのは、その発想がない人には奇異に映るものだし、嫌がる人も世界規模で見ればいくらでもいたのだ。

それなのに異世界で、饅頭が普及するなら、大変よいことと言わなきゃならない。

「わたくしも、それだけなら我慢《がまん》しようと思っていました。違法でないなら、黙認するしかありませんしね。ですが――看過できない問題が持ち上がったんです」

なんだ、その看過できない問題って？

もしやオリジナルと名乗るために、「食べるスライム」の製造工場を攻撃する計画でも発覚したのか？

だとしたら、それは話が変わってくるけど。

一度、ペコラはお茶に口をつける。

一呼吸置かないといけないようなことか。

「あっ、お茶がなくなってたんでした。おかわり、いただけますか？」

なんか、締まらないな！


私はすぐにお茶のおかわりを用意した。

たしかにこの魔族の土地で作られた饅頭は甘すぎるので、お茶が必要になる。甘くない飲み物でリセットしないと食べ進みづらいところはある。

「実は、この『甘いスライム』が、魔族お菓子大賞の今年の新作お菓子部門の候補にノミネートされたんです」

「新作ってことは、昔から偶然似たものがあったんじゃなくて、『食べるスライム』を知ってから作った可能性が高いのか」

豆を甘くするぐらいの知識が偶然、離れた土地にあってもおかしくないが、できた年に二、三年の開きしかないとしたら、なんらかの関《かか》わりがあったと考えたほうが自然である。

「お姉様のお菓子の盗作が受賞してしまうのは、わたくしは楽しくありません。まあ、その感情的な部分は除外するとしても……魔族お菓子大賞にとって大問題なのは本当なんです」

「具体的にどう問題なの？」

どうやら、そこが核心のようだ。

もう一つ、「甘いスライム」を手に取って、ペコラはじぃ～っと凝視した。

お菓子にクレームをつけているように見える。

「魔族お菓子大賞は伝統も権威もある立派な賞なんです。あまたのお菓子職人がその栄誉を求めて戦ってきました。なのに、新作お菓子部門の入賞作品が人間の国の新作お菓子を転用しただけのものだとしたら――『さすがにもうちょっとオリジナリティを入れて作れよ』って話になりますよ！ルール上はセーフでもモヤモヤする人は多いはずです！」

「それは、そうかもしれない……」

新作部門だからな。それがほかの商品のネタを丸々使いましたよというのは、がっかりするところがあるのはわからなくもない。

「審査員も元ネタのお菓子を知らないまま、斬新なお菓子だなんて認めれば、その顔にも傷がつきますし、賞にも泥が塗られる結果になります。何かとよろしくないわけです。魔王のわたくしもスポンサーとして名前を連ねてるのに！　ぷんぷん！」

なるほど。そこでペコラはこのお菓子の存在を知ったわけか。

魔王なら、魔族の土地のいろんなイベントに関与することになるもんね。

「もう一つ問題なのは、この『甘いスライム』のレベルが、『食べるスライム』より劣っていることです！　クオリティがアップしているなら堂々と受賞させればいいんですけど、劣化してる側に賞を与えると、それこそ賞の権威が損なわれます……」

長々とペコラは説明を続ける。

言いたいことはわかった。けれど――

「それを私が聞かされても、どうしようもなくない？」

なにせルール上は違法性がないのだ。

私としては、賞の権威がどうなるかより、饅頭が広まることのほうが重要なぐらいだ。

いっそ、コピー商品がたくさん出て広がっていくほうが、文化を伝えられている気がしてうれしいとさえ言える。

それに国家元首のペコラが状況を把握《はあく》してるのだから、いくらでも手は打てるだろう。

「いえ、どうしてもお姉様に伝えなければならなかったんです。状況を正確に把握していただく必要がありましたので」

たかがお菓子のことだけど、ペコラは真剣な顔で話している。

「状況なら私も把握したと思うけど、それでどうなるの？」

「この『甘いスライム』の製造元に行って、文句《もんく》を言おうかとも思いました。ですが、魔王だからといって独裁的になんでもやるのはよくありません。世界最初の味だとか主張していればウソになりますけど、そんなこともしてませんし」

そこは権力の行使を控えたんだな。

「じゃあ、普通に賞にノミネートはされるんだね」

「はい、ですが、このままの状態で受賞させるのも、あまりよろしくありません！　そこで、わたくしは考えました！」

いきなり、ペコラは立ち上がった。


「お姉様、このお菓子の製造元に行って、本場の味をレクチャーしてください！」


「……は、はぁっ!?」

なんで、そんなことに！

「本場の味を守るお姉様から製法を教わったことにすれば、新作お菓子部門で入賞してもなんら恥ずかしくありません！　いわば発祥の店直伝《じきでん》の味ですからね！　賞の権威は保たれます！」

「一気に私が面倒事を背負う流れになった！」

「それに発祥の店の教えを請うことにより、味もレベルアップする可能性があります！　得しかありません！」

「いや、私がいちいち出向かないといけないって損《そん》があるんだけど……」

「お菓子業界の未来のために一肌脱いでください！」

ダメだ。押し切られそうだ……。

「お菓子業界を救ってください、お姉様！」

「おおげさにもほどがあるでしょ！」


結局、ペコラの強引さに私は屈服することになりました。

饅頭をこの世界に伝えたがために、この世界の饅頭すべての責任を担うようなことになってしまった……。

新しいものを伝えるというのは、なにかと大変なんだな……。

◇

こうして、後日、私は魔族の土地に「食べるスライム」開発者として向かうことになった。

それと、「食べるスライム」製造の責任者であるハルカラにも同行してもらった。

現在、「食べるスライム」の生産と販売は、ハルカラ製薬がナスクーテの町で一手に行っている。

家で私が毎日作って売ったのでは魔女じゃなくてお菓子職人になってしまうし、あまりに大変だからだ。

基本となるレシピは当然ハルカラにも教えているが、そのあと、この世界の人の口に合うように微調整もやっている。ハルカラは手を抜く性格じゃないから、安心して任《まか》せられる。

現に、今もワイヴァーンの背中で販売している「食べるスライム」を試食してみたが、表面の食感が私が作った時よりやわらかくなっていた。

スフレっぽい生地というか。洋菓子側にちょっと寄ったというか。

「やっぱり、毎日作ってるだけあって、個人で作ってた時より、精度が上がっている。文句のない味になってる」

「なにせ、ご当地銘菓として有名にする意気込みで販売してますからね。それなりに気合い入れて作っていますよ」

ハルカラもこれには自信アリらしい。そういえば、ハルカラ製薬が善《よ》い枝侯国《えだこうこく》にあった頃《ころ》は食べ歩きもよくやっていたはずだし、ハルカラの舌は確からしい。

「ていうか、それならハルカラだけ教えに行けばよかったんじゃ……。今だってお菓子を作ってる人にも味の指導はしてるんでしょ？　もう、その道のプロじゃん」

「だからって、わたし一人で魔族の土地に行くのは嫌ですよ！　トラブルに巻き込まれたら困ります！」

断固拒否というふうに、ハルカラが首を左右に振った。

「これでも、初めて魔族の土地に行った時にいきなり処刑されかけた経験があるんですからね！」

「自慢げに言われても困る！」

「それに、あくまでも元祖『食べるスライム』を作ったのはお師匠様《ししょう》ですから。細かい知識じゃお師匠様に勝てませんよ。説明するにしても、お師匠様の言葉のほうが説得力が出るはずです」

「それはわからなくもない。でも、発祥の店が一番おいしいってわけでもないんだけどなあ」

発祥の店が一番おいしい料理は多分あまり普及しないと思う。

「お師匠様の発言もよ〜くわかりますよ。各地の発祥の店に行ったことがありますからね。たとえば、こってりした料理のはずなのに、発祥の店は案外あっさりしてたりするものなんです。それもそのはずで、最初からこってりだったら特殊すぎてウケないわけです。まず、あっさりした味の料理が生まれて、そこからだんだんこってりに近づいて完成形になるわけですね」

「食べ歩き歴が長いだけあって、よく語るな」

たしかに、ラーメンが誕生した時に、箸《はし》がスープの上に立つような超濃厚ラーメンなんてあるわけないもんな。料理の進化（？）の方向性を考えると、だんだん極端に進むのだろう。

「じゃあ、私は発祥の店という歴史的意義を担って、仕事することにするよ」

「ちなみに、お師匠様の『食べるスライム』がダメという意味じゃないですからね？　発祥の店でもお師匠様の『食べるスライム』は十分においしいですからね！　そこは揺らぎませんからね！　元がダメだったら改良しても無駄《むだ》ですから！」

「まったく気にしてないから、変なフォローはいらない！」

「お師匠様は立派なお菓子職人ですから。胸を張ってレクチャーしてください」

ただ、本職がお菓子職人ならプライド持って仕事をするぞって気にもなるのだけど、私の「食べるスライム」は完全に素人《しろうと》の見よう見真似なんだよな……。

職人ぶるのもプロの人に失礼な気がするが……まっ、やれることをやろう。

私たちは「甘いスライム」を作っているというお店を目指して、飛び続けた。

◇

そして現地に到着した私たちがまず思ったのは――

「寒いっ！　無茶苦茶冷えるっ！」

そう、寒い。尋常じゃなく寒い。

「猛烈に吹雪《ふぶ》いてますよ！　お師匠様の顔すら、もはや見えません！」

ハルカラもガタガタふるえている。そりゃそうだ。気温も異様に低い。極寒レベル。人が生活できる環境じゃないな。

「これ、警報が発令されててもおかしくないな……」

私たちはワイヴァーンの発着場みたいなところにいるけど、外でじっとしていられる状況ではない。待合所とおぼしき建物に入ろう……。

と、その待合所からちょうどペコラが出てきた。

「お待ちしていました～♪」

もこもこの服を着た完全防寒で。

「ちょっと！　自分だけ暖かくして出てくるのズルいぞ！　厚着してこいとか事前に言ってよ！」

「すみません、すっかり抜けてました。前はお菓子業界の危機を伝えることで頭がいっぱいだったんです」

さすがにお菓子業界にとったら、「甘いスライム」がどうなろうと蚊に刺されたぐらいのことだと思うぞ。

「あと、ここからは地下道を歩いていくので、大丈夫ですよ♪」

「それは助かるよ。でも入り口なんて見当たらないけど」

「入り口も屋内にあるんです。私が出てきたところにあります」

待合所の中には、たしかに地下へと続く階段があった。わざわざ吹雪《ふぶき》の中を歩かなくても済むのはありがたい。

早速、ペコラに続いて地下道へと降りる。

「それにしても、この土地は人口が少ないんですかね。ちっとも地元の魔族らしき方に出会わないのですが」

ハルカラの言うとおり、待合所にも地下道にもほかの魔族の姿がない。

「このへんは魔族が住んでる地域でも辺境ですからね～。人口も少ないんですよ。住んでるのも寒さに強い方ばっかりです」

ペコラが説明したけど、そりゃ、寒さに弱いレッドドラゴンみたいな種族ならこんなところ、お金もらっても住みたくないよね。ライカに乗ってこなくてよかった。

寒く感じるのは魔族だって同じだろうから、必然的に寒さにとことん耐性がある魔族が暮らすことになるだろう。

「ペコラ、ちなみにどんな魔族が暮らしてるの？」

「毛の多い方ですね」

毛の多い魔族ってどういうのだ……？　別に長髪ってことじゃないよな。

私は地下道からまた階段を上がって、地上に出た。幸い、建物が吹雪を遮断してくれているので、さっきよりはマシだった。

ワイヴァーンが発着する場所は、風も雪もモロに吹き付けてくるような、だだっ広い空間のはずだから、私たちは最悪の場所でこの土地の洗礼を受けていたわけだ。

「はい、ここのお店ですね」

ペコラの目の前に「甘いスライム」を作っているというお菓子の店があった。

私も魔族の言葉がけっこう読めるようになってきたし、看板ぐらいなら読めるかな。

この世界のお菓子屋さんなら、オシャレなケーキ屋さんみたいな外観なんだろうか？

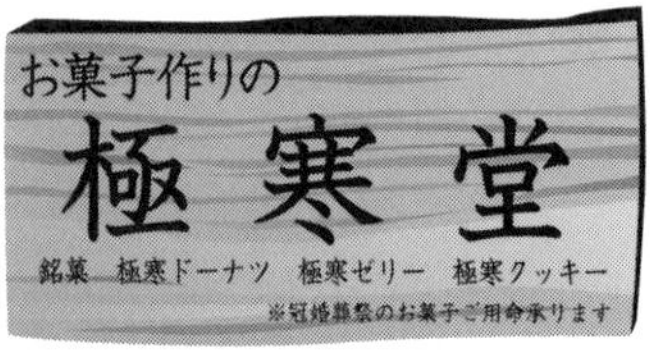

オシャレな雰囲気ではない！

少なくとも小学生の「将来なりたい職業」の上位に来るタイプのものではない！　異世界なのに横文字が似合わなそうな空気が漂っている……。

「……いかにも、『甘いスライム』売ってそうな感じではあるか……」

饅頭がなきゃおかしいだろって店構えをしている。地域密着系の店だな。

私たちはそのお店の中に入る。そして、店員さんたちを見て、どういう種族が住んでいるのかをすぐに理解した。

全身が茶色い毛むくじゃらで、身長は小学校高学年か中学生ぐらい。

どことなく、ペンギンのヒナっぽいフォルムをしている。

そして私はこの種族を見たことがある。

これは、ユル族だ！

ユル族とは、私がサンシュ島という南の島に漂着してしまった時に、そこで暮らしていた先住民族――と私が勘違いしたイエティたちのことだ。

そういや、あのイエティたちは南の島の部族ごっこをしていただけで、本来はかなり寒い土地に住んでいたはず。

その土地がこのあたりだってことか。こんなに寒かったら、温暖な南の島に興味を持ってもおかしくない。むしろ、これだけ寒い土地に住んでて、南の島で体調を崩さないのか心配になるぐらいだ。

「あっ、魔王様ご一行ですね！　ご案内いたしますので、どうぞこちらへ！」

私たちはすぐさま、奥へと連れていかれた。

来客用のテーブルに通されると、すぐにお店で作ってるらしいお菓子みたいなのとお茶が供された。

真《ま》っ赤《か》な四角い寒天みたいなのが、多分、極寒ゼリーだろうな。ゼリーといっても、水分が全然ないタイプのほうか……。

口に入れると、味のないオブラートみたいな膜がついているような気がする……。これって、市販のお菓子の専門店の店の奥にある、おじいちゃんやおばあちゃん向けのコーナーに置いてるゼリーじゃん……。仏壇のお供えでよく見るようなやつ！

とことん、キラキラしたタイプのお菓子屋さんと真逆のお店だな。だから、ダメっていうことは何もないんだけど。

「お師匠様、この極寒クッキー、石みたいに硬いです！　勢いよく噛《か》むと、歯が折れる危険が……。しゃぶってると、ちょっとずつやわらかくなりますね」

硬すぎるおかきみたいなのもある！

「わたくし、失礼ながらこのお店が新作お菓子部門にノミネートされた時に何かの間違いじゃないかって思ったんです。そしたら、案の定、『食べるスライム』そっくりのものだったというわけです」

ペコラも新しいものが生まれてくるって信じてなかったということか……。

だが、その気持ちもわからなくはない。このお店はご高齢の方向けだ。変化や進歩はあまり求められてない。むしろ、昔ながらのものを変えてしまうほうが問題というタイプの店だ。

しばらくすると、社長らしきイエティがやってきた。

「あっ、魔王様に、それからアズサさんとそのお連れの方ですな」

私の名前も知ってるのか。事前に連絡がいっていたなら当然か。

でも、私の考え方は少しズレていた。

「南の島以来ですね。お久しぶりです」

「あの島にいた人なんだ！」


島にいたイエティは一人や二人じゃなかったし、顔の区別もほとんどつかなかったので、どこにいた人かわからないけど、どこかで出会ったんだろう。

「あの時、アズサさんに出会わなかったら、きっと『甘いスライム』を作ろうとも思わなかったでしょう。ありがとうございます」

正面からの感謝の意を示されたけど、なんで私と出会ったことがお菓子制作につながるのかよくわからない。あの時、「食べるスライム」の製法なんて教えてないしなあ。

「あのあと、知り合いのワイヴァーンから、アズサさんの地元で変わったお菓子があるというのを聞いて、それを買ってきてもらったんです」

「なるほど。私に会わなければ、『食べるスライム』との出会いもなかったとは言えるか」

フラタ村にたまに魔族が来ても、もう誰も驚かない。とくに祭りの時なんて、大量に魔族が来てたし。

どこかのタイミングで「食べるスライム」を買った魔族がいて、それがこの社長のところにまで伝わったのだ。

「それを食べて、『これだ！』と思い、試行錯誤して『甘いスライム』を作ったのです」

「となると、純粋にリスペクトした結果ということですか？」

ペコラもこれは意外だったらしく、確認するように社長に尋ねた。

「はい。まったく新しい食べ物なのに、このお店で作るのに、ふさわしい気がしたんですよ。少なくとも、マカロンなんかより据わりがいいなと」

ここ、饅頭が似合いそうな店だもんな……。

世界を超えて、何かつながるものをイエティの社長は感じ取ったらしい。

そんなことが本当にありうるのかわからないけど、この店構えからすると、ないとも言い切れない。

「なので、アズサさんにご指導いただけるなら光栄ですね！　それに『食べるスライム』もアズサさんが考案されたとか」

「考案してはないですが……『食べるスライム』を作ったのは私ですね」

餡子入りの饅頭を考案したのは、昔の地球の誰かだろう。

「本場の製法をご指導いただけますでしょうか？　よろしくお願いいたします！」

最初から教えるつもりでここまで来たわけだし、断るわけなんてない。

それにイエティの土地に「食べるスライム」が伝わったのも、私が南の島でイエティに出会ったのが縁になってるわけで、つまりすべてがつながっているのだ。

「私でよければ、やれる範囲で教えます」

イエティの社長がすごく喜んでいたのが印象的だった。

こうして、私とハルカラはおいしい饅頭作りにいろいろ手を貸すことになった。

社長はほかの仕事があるらしいので、まずはほかのイエティの従業員に手ほどきをする。

あと、ペコラはお菓子作りを教えられる立場ではないので休憩中だ。

とてつもなく、複雑な工程ではないので（でなきゃ、私が作れない）難しすぎるというものでもないし、それなりの仕事はできると思う。

「お師匠様、相手の方が友好的でよかったですね」

イエティの従業員の作業を見ている最中《さなか》、ハルカラがほっとしたような調子で言った。

「だね。元祖を名乗る店がやってくるようなものだから、煙たがられるリスクもなくはなかったもんね」

ペコラが間に入っているから相手が断ってくることはなかったと思うけど、その分、内心嫌々でも私たちに来てもらうしかなかったということもありえたのだ。

それが来てみれば会ったことのあるイエティだったというのは、純粋にラッキーだったと言えるだろう。

「おっと！　そこの方、砂糖を入れすぎだと思います！」

ハルカラが何かに気づいたようだ。たしかに、砂糖の量が多すぎたような……。

「これぐらい入れたほうがパンチ力があって、いいかなと思ったんですが、ダメですか？」

イエティの従業員から私は質問を受けた。

「できれば、パンチ力よりは、優しい甘さあたりを目指すべきなんじゃないですかね……」

あまり風変わりなことを目指すようなお店じゃないと思うし、そこは素朴に、堅実にやっていってほしい。そのつもりで私も教えたいと思う。

そこから先も適宜指導《てきぎしどう》したけど、正直なところ、ハルカラが思っていた以上に製法をマスターしていて、私が言わないといけないことを言ってくれたので助かった。

「皮ももっとしっとりとしたものにしたほうがいいですね。でないと、ノドが渇《かわ》くと思います。あと、中身も詰まりすぎてませんかね。これだと一つ食べただけでおなかいっぱいになるような……」

ハルカラはそんな調子で、どんどん口を出していく。

このあたり、社長だからか、指導し慣れているところがある。

もっとも、イエティ側もすべて、こちらの言ったとおりに変えるわけじゃない。

ところが変われば、求められているものも変わるしね。

この店だって、まずはご近所さんにおいしいと思ってもらえなければ、商売にならないのだ。

途中からイエティの社長も話に参加したけど、イエティ側の求めるものは、やっぱりハルカラの主張するところとは違うようだった。

「皮は変えようと思いますが、餡子に関しては多目のほうが人気があるので、これはこのままでいきたいです。むしろ、もっと多くてもいいかなと思っているぐらいで」

イエティの従業員がそう主張した。

「えっ？　まだ餡子がほしいんですか？　どれだけ餡子が好きなんですか……？」

ハルカラがあきれていたが、そこに社長もこう付け加えた。

「お客さんもとにかく餡子を入れてほしいと言ってるんですよ。むしろ、餡子だけ売ってくれという要望まであるぐらいで」

やけに餡子の需要があるな……。

この世界は漠然とヨーロッパ的なので餡子が受け入れられづらそうと思っていたけど、極寒の地に住むイエティたちの口には合ったらしい。

たしかに、そもそもイエティの社長が食べておいしいと思ったから、「甘いスライム」も売り出そうと思ったわけで、イエティと餡子の相性《あいしょう》はよかったはずなのだ。

「なので、餡子はもっと重くなるぐらいに入れたいんですが、いかがでしょうか?」

「それはわたしの販売方針と真逆ですね……。あまりオシャレではないですし……」

「オシャレなことより、お値打ち感があるほうがここでは売れるんですよ」

ハルカラとイエティたちの反応を見て、私はあることを思った。

これって、素朴だった元祖から、だんだんと極端になっていく事例だ!

ラーメンのスープがどんどん濃厚になっていって、最終的にはカルボナーラみたいな次元にまで行きつくのに似ている。


待てよ。

だとしたら、とことん極端にしていけばいいんじゃないか？

「あの、お師匠様、かなり大きな方向性の違いがあるんですが、どうしましょうか？」

ハルカラが助け舟を求めてきた。

提案するつもりのことと真逆のことを相手から言われたら、困るのも当然だ。

「いっそ餡子が入る限界にまで挑戦するスタンスにしない？」

私はそう提案した。

ハルカラもイエティのみんなもこっちを見ている。

「皮は餡子が透けるぐらい薄くして、とことん餡子が詰まったものにするんだよ。それだったら、差別化もできてオリジナルと言って通用するお菓子になるし、それに透明なところがスライムっぽいでしょ？」

イエティたちは反対する理由もないから、こくこくうなずいてくれている。

ハルカラからは反対意見もあるかなと思ったのだけど、ぽんと手のひらを叩《たた》いた。

「そうか。まったく別のお菓子だと思って作ってしまえばいいんですね！『食べるスライム』に近いお菓子を作ろうとするから問題が起こるわけで、何もかも違うものを作ればそれで解決します！」

「そういうことだよ、ハルカラ」

オリジナルと比べようがないぐらい別物になれば、その別物がオリジナルになる！

皮をいかに薄くするかの試行錯誤がはじまった。

こころなしか、イエティのやる気も上がった気がする。元祖に似せるよりも、まったく新しいものを作るほうがモチベーションは上がるのかもしれない。

当然、失敗もたくさんある。

「ダメだ……。べったり底が引っ付いてしまってますね……」

社長が蒸した試作品を確認して言った。

その試作品は饅頭が蒸し器に引っ付かないようにする薄い木の皮に、見事に密着していた。

「お師匠様、餡子が増えて全体が重くなったせいで、引っ付きやすくなってます」

ハルカラはその試作品の木の皮をはがす。たしかに饅頭の下の部分が木の皮のほうに引っ付いて、饅頭の底が抜けてしまっている。

「味は何も問題ないんですが……どうしましょうか？」

本来の「食べるスライム」からすると、こんなにべったり引っ付くのはアウトだ。

でも、これはあくまでもオリジナル。いわば新種のスライムだ。

「そのままいこう。最初から敷いてる木の皮が饅頭の底だと割り切るつもりでやる！」

私はそう決断した。

こういうのは中途半端《ちゅうとはんぱ》はよくない。まずは徹底的に進む！

イエティたちもそちらに舵《かじ》を切ることに同意した。

これだけでも、餡子の量が増えたと思うのだけど、まだインパクトが足りない。

現状、底が薄いタイプの「食べるスライム」なのだ。そこまでの独自性はない。

次なる一手はどうする?

もっとも、すでに私の考えは全体に伝わっていた。

私以外から改良案が出てきたって、何もおかしくない。

そして、ハルカラが手を挙《あ》げた。

「お師匠様、社長、とことんまでやるつもりということでいいですよね?」

ハルカラの問いかけに私も社長もうなずいた。

「じゃあ、底が抜けたっていいと開き直るんじゃなくて、全面の皮を薄くして、どこからでも中身が見えるやつを作りましょう! じわじわ皮を薄くしていくなんて面倒なことはしなくていいはずです! 表面の皮は餡子が手につかないようにするだけのものと考えるんです!」

「ハルカラ、ついに禁断の領域に突き進む気か……。だけど、それで正解だと思う」

餡子を重視すればするほど、皮の部分はどうでもよくなってくるのだ。

全方位から餡子が見えるほどに皮が薄いなら、それは本家とは別のお菓子だと言える。

「全面を透けるほど薄くするとなると、高度な技術力が必要だとは思いますが……社長、やれそうですか?」

コンセプトに技術が追いつくかどうかの勝負になってきたな。

「今すぐ試します」と社長は力強く言った。

ほかの従業員も「やりましょう！」と同調する。

「これでも、うちの店では長年、お菓子を作り続けてきたんです。その経験でやってやろうじゃないですか。とくに極寒ゼリーは千年以上前から作ってまいりました！」

「社長、あのゼリーは正直、まずかったですよ……。とくに透明な膜みたいなのがついてて気持ち悪いです……」
※ハルカラの感想です。ただ、私も直接は言わないけど、あんまりおいしいとは思えないです。
「あれは、ああいう伝統的なお菓子なのです。お世辞にもおいしいとは申せませんが……」

「社長がおいしくないと言っちゃダメですよ！」

私がツッコミを入れた。社長もまずいと思ってたんかい！

従業員たちも「まずいのもあのお菓子の個性だから……」とかお客さんに絶対聞かせられないようなことを言っている。

「まずくても、製造をやめるとああいうゼリーが絶滅するおそれもあるので……。むっ、あのゼリーがヒントになるかもしれない……」

社長に何かひらめくものがあったらしい。

「まさか社長さん、中身をゼリーにするとか言わないでくださいね？　それは絶対売れませんからね？」

ハルカラはあんまり社長のことを信用してないな。

「今まで皮をいかに作るかということを私どもは考えていました。ですが、皮ではなくて中身を包む膜を作ると考えればいいんです！　その発想の転換があればいけます！」

社長から今日一番のやる気を感じた。

「アズサさん、ハルカラさん、おそらく大丈夫です。魔王様と一緒にご休憩ください」


私とハルカラはさっきまでいた極寒ゼリーの置いてあった部屋に戻ってきた。

ペコラはずっと休憩室にいたはずだけど、あまり置いてあったお菓子が減ってない。やっぱり、全体的に不人気だな……。

「お師匠様、皮を膜にしたらどうにかなるってどういうことですかね？　言葉を変えただけのような気がするんですけど。中身を包むものということでは同じでしょう？」

ハルカラはまだしっくりきてないらしい。

実のところ、私もハルカラの意見と大差ない。

「ここは社長を信じてみよう。お菓子作りの経験だけなら、圧倒的に長いわけだし」

そして、ほどなく、社長が自信があるという顔でこっちにやってきた。

手に持っているお皿には試作品らしきものが置いてある。

真っ先にペコラがこう言った。

「とっても、スライムっぽいですね！」

そう、そのお菓子の表面はこれまでの試作品よりも、はるかにつるんとしていたのだ。

「皮と膜の違いってこういうことか！」

私はお皿のところに行って、一つ試作品を手にとってみた。

表面は別にゼリー状というわけではない。でも、一般的な、ふわふわした手触りの饅頭のものじゃない。

「すべすべになってますね。そして、黒い中身がしっかり透けて見えてる……」

皮から膜にするというのは、饅頭表面の質感を変えるということだったのか。

「お師匠様、底に敷いている木の皮をめくっても、ほとんどくっつかないですよ！」

ハルカラも唸《うな》っている。本当だ、底が抜けなくなっている。

「皆さん、ぜひ食べてみてください」

そう社長に言われて、まずハルカラが饅頭の三分の一ぐらいをかじった。

「味も申し分ないですね。中身がダイレクトに口に広がりますよ！」

社長もこれで勝利を確信しただろう。すごくいい笑顔になっていた。

「これを新生『甘いスライム』として売り出します！　アズサさんとハルカラさんのおかげです！

ありがとうございます！」

すっごく薄皮でほぼ全部が餡子だろうという饅頭、「甘いスライム」がここに生まれた。

これを見て、「食べるスライム」にそっくりと言う人はいないだろう。

◇

後日、「甘いスライム」は魔族お菓子大賞の新作お菓子部門に選ばれたらしく、その吉報《きっぽう》を伝える手紙と共に大量のお菓子が送られてきた。

私たちが帰ったあとから、サイズも二回りほど大きくなったようで、本当に一つ食べるとごはんが食べられないような商品になっていた。

ハルカラも私もテーブルに並べたその「甘いスライム」を眺《なが》めていた。手に取る前に眺めてしまうぐらいに大きいのだ。

「お師匠様、これは朝にかじると、一気に目が覚めそうですね」

「だね。一人一個はきつそうだし、ハルカラ、半分こにしようか」

もっとも、ドラゴンたちにとっては、うれしいサイズだったらしい。ライカとフラットルテはどんどん「甘いスライム」を口に運んでいた。

「これは食べごたえがありますね！　活力になる気がします！」

「がっつり、胃にたまる気がしてうれしいのだ！」

やっぱりドラゴンはよく食べるな……。

これなら大量の「甘いスライム」もすぐになくなるだろうな。

しかし、別に送られてきたのは「甘いスライム」だけではないわけで――

「あのさ、ドラゴンの二人、そっちの極寒ゼリーとかも食べてね？」

ライカもフラットルテも嫌な顔をした。

「アズサ様、我は一つ食べてみたのですが、あまり口に合わなくて……」

「ご主人様、あれはまずいのだ！　ドラゴンは大食いだけど、おいしくないものまでは食べないのだ！」

徹底して不人気！

そのあとも、お菓子の減り方が種類によってはっきり分かれました……。

終わり

森田季節
Morita Kisetsu
illust. 紅緒
The white journey of a margrave
辺境伯の真っ白旅
スライム倒して300年、
知らないうちにレベルMAXになってました
―スピンオフ―

まったり師匠の**自動的スパルタ教育**

ふもとのあたりは白い雪に覆われていたのに、高度が上がっていくにつれて、雪の量も少なくなってきた。もう、山は地肌が見えて、荒涼とした風景が続いているだけだ。

「できれば、雪が積もっているところに工房を建ててほしかったですね」

ワタシはついつい不満をこぼす。最初のうちは真っ白な山の景色に気持ちもたかぶっていたから疲れも感じなかったけれど、こんな茶色い土の色が目につくところじゃ、三割増しで疲れてしまう。

それでも、今更帰るわけにはいかない。アイデルの土地に帰っても何もないし。

ワタシが帰るのは、いろんな魔法を身につけた時だ。

やがて、視界の先に小さな一軒家が現れた。

遠くから見ると何の変哲もなさそうな一軒家だったけれど、近づいてみてもやっぱりごく普通の一軒家だ。

おかしなところがあるとしたら、水も食料も確保できなそうな場所に建っていることだけ。

間違えるわけもない。ここだ。

ワタシはこんこん、こんこんとドアをノックする。

The white journey
of a margrave

しばらくすると、十五歳ほどのブロンドの髪をした女性（の見た目をした人）がドアを開けた。

「あらあら。こんなところに誰《だれ》かがいらっしゃるなんて珍しいですね」

彼女はのほほんとした態度で、そう言った。ひとまず警戒されてはいないらしい。ここまで歩いてきて、門前払いは嫌だ。

「魔法使いスライムさんですね。はじめまして。大スライムさんからご紹介を受けてやってきました」

自分が何者であるかをさっと説明する。

それから、自己紹介も、目的も、簡潔に。

「先日生まれたシローナと申します。魔法の修行をさせていただけないでしょうか？」

「先日生まれた？」

相手が不思議そうな顔をした。多くの人はどういうことだと思うだろう。

「ワタシはスライムの精霊なんです。大スライムさんの近くで生を受けました」

「ああ、そういうことですか！　あの双子《ふたご》の精霊さんの後に生まれた方というわけですね。では、早速ですが、ちょっと失礼いたしますね」

彼女はそう言うと、私のほっぺたをつかんで、ゆっくり引っ張った。

本当に失礼なことをされている！　これは文句《もんく》を言うべきか？　いや、でも、ほかに魔法を鍛《きた》えてもらうあてもないし……。

「ふむふむ。なるほど。間違いなくスライムの精霊さんですね。人間ではないし、かといって変身しているスライムでもない」

「ほっぺたでわかるんですか？」

「わかります。スライムは水分が多いので、人の姿をしていても、手触りが違います。人間だと赤ちゃん肌でもまだ届きません。スライムの精霊なら、スライムと人間の間ぐらいだから、こんなものでしょう」

「あれ、けっこうアバウトな気が……」

やっと彼女は手をほっぺたから離して、室内に入ってくるように手で合図をした。

「大スライムさんの名前も知ってるようですし、たしかにあの森で生まれた方ですね。魔法使いスライムのマースラです。よろしく」

「あれ、名前があるんですか？　大スライムさんからは『魔法使いスライム』が名前の代わりだと聞いていたのですが」

長く生きて知識や経験を積んだスライムも、多くは名前を持たないという話だった。

「とある魔女さんが名前をつけてくれました。不都合もないので、その名前を使っています」

どこの魔女か知らないけれど、センスのない名前だ。

「どうぞ、歓迎します。といっても、もてなせるものは何もないですけど」

室内はまさしく魔法使いの工房というにふさわしいところだった。たくさんの本がきれいに整理されて置いてある。建物自体が小さな図書館のようだ。

「何もないというのは謙遜《けんそん》ですね。ご立派な工房じゃないですか」

これはお世辞ではなくてワタシの本心だ。この人の下でなら、いい修行ができるのではないだろうか。

「いえいえ。何もないですよ。台所もなければ、ベッドもありませんから。椅子《いす》は一つだけならあるんですけど」

「…………えっ？」

生活に最低限必要なはずの設備がない？

「はい。だって、スライムですから。床で寝たって同じですし、そのへんのホコリでも食べてれば生きていけますから。人の姿をしているのは、魔法陣が描きやすいからというぐらいのものしかありません」

ごく当たり前のように、この人はとんでもないことを言った。

「それからトイレもお風呂《ふろ》もないんですよね。だから水の魔法だけでも早く覚えたほうがいいかもしれませんね」

「えええええええっ⁉」

図書館みたいだと思ったのも当然だ。テーブルとたった一つの椅子を除けば、ここには本棚と本ぐらいしか、ぱっと見、存在しない。こんな住居は普通はない。

これはとんでもないところに来てしまったかもしれない……。

帰ろうかな、という気持ちがわずかに頭をよぎった。

だが、実力のある魔法使いに教えてもらうのが成功の近道なのは確実なのだ。

「シローナさんは魔法を教わりたいんですよね。全然かまいませんよ。ただ、ごらんのとおり、ここには生活できる環境がほとんど何もないです。食事をしたくても、お店はふもとの町にしかありません。家具を買っても、こんな人の立ち寄らない山の上にまで、配送してくれるサービスはありませんね。人並みの生活がしたかったら、すみやかに魔法を習得して、苦労を減らすことですね」

この人は他人事《ひとごと》のように語った。

いや、本当に他人事なんだ。だって、この人には実感のない苦労なのだから。

見た目は優しそうだけれど、修行はとても厳しいものになりそうだ……。

「あっ、大変だと思ったら帰っていただいてもけっこうですよ。実際、大変だと思いますし。弟子《でし》を育てることに実績があるわけでもないですし」

この人、徹底して正直に話すな……。

たしかに苛酷《かこく》な生活になるだろう。でも、今から暮らしていた場所に戻っても、結局はみじめだ。

生活のあてもない。

進むも地獄！　戻るも地獄！

どうせなら進む！

「やらせてください！　師匠《ししょう》と呼ばせてください！」

覚悟を決めたというより、ヤケクソでワタシはそう叫んだ。

「わかりました。じゃあ、これをどうぞ」

彼女は中空からぽんと杖《つえ》を出現させた。詠唱《えいしょう》も魔法陣も必要としない、正真正銘の魔法だ。

「魔法使いに魔法陣を描く杖は必須ですからね。これを差し上げます」

ワタシは受け取ったその杖を、ぎゅっと握り締めた。

もう、魔法使いになるしかないのだ。

◇

ワタシがマースラ師匠の弟子になって、第一にやったのはふもとから食料とクッションを大量に運ぶことだった。

そういうものがないと、生活が成り立たない。クッションはベッドを作るのに使った。あと、木材を運んで、加工もしないといけない。ベッドのためにもいるし、お風呂を作るのにも必要だ。山だから木なんていくらでも生えていそうなものだけど、ここはハゲ山と言っていいような植生の場所で、ふもとに行かないと手に入らない。

そりゃ、人が来ないはずだ。山を登ってくるメリットが何もないのだから。生活に困らない師匠にとっては邪魔者が来る可能性も極《きわ》めて低く、最高の環境なのだ。そして、衣食住が必要なワタシには最低の環境だった……。

食料はまだいいにしても、木材なんて自力で運ぶのは限界があるとすぐに悟った。

台車だけは最初にふもとに降りた時に購入したけれど、とても足りない。

「師匠、物を運ぶ魔法を大至急教えてください！」

ワタシは師匠に泣きついた。それを習得しないことには修行を継続させることすら難しい！

「物を浮かして運ぶ魔法ですね。順序として、けっこうはしょることになるので、難しいですよ。それに軽いものを運ぶのはまだいいですけど、重いものを運ぶのはとっても大変です」

「わかってます！　それでも覚えないよりはマシです！」

「そうですか。じゃあ、方法が書いてある本を持ってきましょうか」

こっちが焦《あせ》っていても師匠はだいたいのんびりしている。他人に合わせるという発想がないのだ。

かといって、弟子が師匠の生活をコントロールすることなんてできないし……。


軽い木材だけでも魔法で運べるようになった時は感動した。これで、木材を運ぶペースが早くなる。軽い木材を一つ浮かしながら、ワタシは台車を押していく。

なんとか人並みの暮らしができるようになるところまでやらないと！

工房の近くまで上がってくると、師匠が散歩をしていた。何が面白《おもしろ》いのかよくわからないが、師匠はちょくちょく山を歩いている。

「シローナさん、なんだか筋肉がついてきましたか？　今すぐ冒険者になれそうなほどの体力があるように思いますけど」

「ふもとと山の往復で……勝手に鍛えられました……」

たしかに剣士がするような特訓をいつのまにか、やっていたのかもしれない。

魔法使いを目指しているのに、魔法の修行より肉体労働のほうが多い。いいや、労働ですらないのか。これは自分の生活をよりよくするための努力でしかない。

それでも限界がある。もっと、もっと楽ができるようにならないと。

「師匠、次は筋力を一時的に増強する魔法を教えてください」

そうすれば、もっと効率よく物を運べる。

「はあ。別にいいですけれど」

師匠はあまり気乗りしないという反応だった。

「あれ、なんかワタシ、変なことを言いましたか？」

「だって、シローナさん、風を操《あやつ》るとか、まず魔法使いが習うような魔法を覚えようとせずに、変わったものばかり覚えようとするので」

「それは手順を踏んで覚えていく余裕がないからですっ！」

ワタシはこういうのは急がば回れで、順序は守って確実に進んでいくほうがいいと思っている。

大スライムさんも「あなたのお姉さんにあたる二人も、そのようにして基礎を大切にして学びを深めましたよ」と言っていた。

沼地の上に高い塔を築くことは不可能なのだ。

しかし、まともな生活がまったく送れない環境を放置することはできない……。

「劣悪な条件下では、ゆっくりした成長もできないですからね。やむをえずです！」

「はいはい。それじゃ、工房の中で練習しましょう。強化系の魔法で爆発《ばくはつ》が起こったりすることはないですから」

マイペースに師匠は工房のほうへと歩いていく。

この師匠はワタシを叱《しか》ったことも、憤《いきどお》りの顔を見せたことも一度もない。

その代わり、荷物を運ぶのを手伝ってくれたこともない。徹底して他人事《ひとごと》という態度なのだ。

師匠の性格によるものなのか、それともスライムは一般的にこういう性格なのか、そのあたりのことはわからない。

本音を言えば、もうちょっと弟子のことを気にかけてくれてもいいのではと思うが、ワタシはワタシで師匠のためになることを何もできていないし、そんな要求もできない。

これが普通の師匠相手なら、料理を作るとか、掃除をするとかでお返しもできるというか、それも弟子の仕事なわけだが、マースラ師匠は本当に食事をしないし、部屋だって全然汚さない。ウソか本当かわからないが、ホコリを食べていれば生きていけるとすら言っている有様《ありさま》だ。

本当に魔法の研究ぐらいにしか時間を使わないで生きている。

人付き合いの悪い魔法使いもいるだろうが、これは極端すぎる。

なので、ワタシと師匠の関係は「ワタシが一方的に師匠と呼んで、師匠も否定はしない」という程度のゆるいものなのだ。

まっ、住環境さえ整備できれば、修行もぐっと楽になるはずだ。それまでの辛抱！

魔法使いの弟子なら、数年間、ここで暮らすことだって十二分にありうるのだから、絶対に快適にしてみせる！

ワタシは再び気合いを入れて、台車を工房まで押していった。

気合いを入れすぎたせいで、魔法で浮かせていた木材が一つ地面に落ちた……。

そのあともワタシはひたすら山の上で快適に暮らすことばかりを考えて、魔法の習得に励んだ。

お風呂の湯船は結局、巨木をくりぬいて、そこにお湯を注《そそ》ぐという方法をとった。最初のうちは魔法で水を出して、それを炎の魔法で加熱していたのだけど、これでは効率が悪いので、もっと便利な魔法を覚えることにした。

「ううむ……違う……この魔法陣と詠唱だとまだ上手《うま》くいかない……」

魔法陣からはぐつぐつ煮えたぎるお湯が出てきた。これじゃ地味な攻撃魔法だ。冷めれば入浴できるが、熱湯が出る分、魔力を消費しすぎる。もっと熱が発生する部分を抑えるように作らないと。

魔法陣を作っては修正し、作っては修正するということを何度も繰り返す。中途半端《ちゅうとはんぱ》にやめると、感覚を忘れてまたイチからやり直しになりかねないので、やめられない。

「今回は……ちょっと冷たいな……」

湯船の前でワタシがぬるい水とお湯の間のものを出していると、師匠がやってきた。

「シローナさん、あなた、また応用編の魔法を覚えようとしていますね。もう少し王道を目指してほしくはあるのですが」

珍しく師匠らしい苦言を呈されている。たしかに弟子が熱心に学ぼうとする魔法ではないからな。

「でも、それもまたいいでしょう。魔法には王道なし！　獣道《けものみち》しかありません！」

「そんなことわざ、本当にありますか⁉」

この師匠はワタシが何をやっても否定はしない。

「ことわざではなく、思いつきです。ですが、順序は無茶苦茶とはいえ、シローナさんは着実に、いえ、うなぎ上りに成長してますから。ところでうなぎって、そんなに上るのが得意なんですかね？」

「知りませんよ。生きてるうなぎを見たことないですし」

師匠は手に分厚い魔導書を持っていた。マイペースだけど、研究を止めることだけはしないらしい。

「まだあなたがここを訪れてから一か月とちょっとですが、もう魔法使いを名乗っても恥ずかしくないところまで来ていますよ」

「それは、いくらなんでも言いすぎじゃないでしょうか……？　ワタシ、氷雪魔法の一番しょぼいやつすら使えてませんよ？」

一か月程度で魔法使いとしてやっていける技術が身につくのだったら、この世界は魔法使いだらけだ。

「いえ、そんなのはすぐに習得できます。ご心配なく。これからもシローナさんなりに魔法を学んでください。師匠は困った時に質問を受け付けるだけの存在です」

師匠を疑うのも変な話だけど、信用してよいのだろうか？

師匠が見ている前でも魔法の微調整を続けていたが、やがてワタシの実験は成功した。

湯船の上に描いた魔法陣からお湯が湧《わ》いている。

ワタシはさっと手をつける。

ぬるくもないし、思わず手をどけたくなる熱さもない。

「できたっ！　これで手間をかけずにお風呂に入れる！」

生活水準は、じわじわ上がってはいるようだ。

◇

基本的な魔法はこれからすぐ習得できる――師匠の言葉にウソはなかった。

覚えられていないままだった氷雪の魔法や電撃、解呪《かいじゅ》、解毒、魔法反射といった魔法も、いざ取り組んでみると、あっけないぐらいあっさりと習得することができたのだ。

あまりにもあっさりと覚えられたので、自分を信じることができず、師匠にこれでいいのかと尋ねに行ったほどだ。師匠は遠方に出かけたりする日がないため、いつでも近くにいるので便利だ。

「師匠、ぱぱぱっと新しい魔法を使えるようになっています。これ、何か騙《だま》されていたりしませんか？　実はすべて夢で、お風呂につかっていたまま寝ていたことに気づくなんてことは……」

「騙されてなんていませんよ。シローナさん、最近覚えた魔法の魔法陣や詠唱を本で見た時にどう思いました？　率直《そっちょく》に感想を述べてください」

「どこかで見たことあるようなものだなと思いました」

まったく新規の魔法でも、目新しさはなかった。

「そういうことです」と師匠は言った。

「どういうことです？」とワタシは聞いた。

「一般的に使われている魔法というのは、同じ体系でできています。同じ地域に住んでる人が、それぞれ違う文法でしゃべったりしないようなものです。で、文法に当たるものをシローナさんは短期間で強引に覚えてしまったんです」

よくわからないが、褒《ほ》められているらしい。

「そんな強引に覚えられるものなんでしょうか？」

「普通は無理です。ですが、やってしまったものは仕方ないですね」

「もしや、それは天才ということですか？」

調子に乗って、そんなふうに聞いてみた。

「いえ、違います」

即座に否定されてしまった。聞くべきではなかった。ものすごく恥ずかしい。

「だって、シローナさん、最初のうちは本当に苦労していましたからね。台車を引いて、ひいひい言いながら物を運んできた日が続いていたじゃないですか。天才はひいひい言う日々を経験しません」

「それ、魔法じゃなくて違うジャンルの苦労では？　戦士や武道家がするようなタイプの苦労だと思います」

師匠は首を振った。

「いえいえ、魔法でもてこずっていました。そのてこずった日々が今につながっているんです」

師匠はにっこりと笑ってくれた。

ようやく、報《むく》われたという気がした。

「あと、シローナさんはスライムの精霊ですから。普通の人間や魔族とかと比べて魔法の適性が高かったようですね。普通の人間なら、ひいひい言う日々が十年かかったかもしれません」

「……本当に精霊でよかったです」

「さて、ずいぶん早かったですが、基礎ができたら、そこからは自力で学ぶ期間ですしね。シローナさんのために、そろそろ最終試験を行いましょうか。合格したら一人前だとみなします」

笑顔のまま、師匠はそう言った。

なので、ワタシはてっきり簡単な試験内容だと早合点した。もう、終わったも同然だと思っていたのだ。

「どんな試験なんですか？」

「準備をします。近日中に来ると思いますので、それまでは腕を磨いておいてください」

来るって何がだ？　師匠と戦うなら、すぐにやればいい話だし。

教えてくれそうもなかったので、ワタシはまだまだうろ覚えの魔法の練習をしたりして、試験に備《そな》えた。

そして、試験は唐突《とうとつ》にやってきた。


試験があると言われて三日後のお昼のことだった。

工房を急に影が覆った。

おかしいな、この山にかかるような雲はないのにと思って、外に出ると、巨大なドラゴンが一体、空に浮かんでいた。

「げっ！　ドラゴン！」

「ああ、シローナさん、試験が来ました。何日も待たされなくてよかったですね」

師匠も外に出ていて、後ろ手にドラゴンを見上げている。

「試験って、もしやドラゴンと戦えってことですか……？　でも、ドラゴンも理由もなしに戦ったりは……」

師匠は荒野の少し先を指差した。

そこには何か立て札のようなものが置いてある。

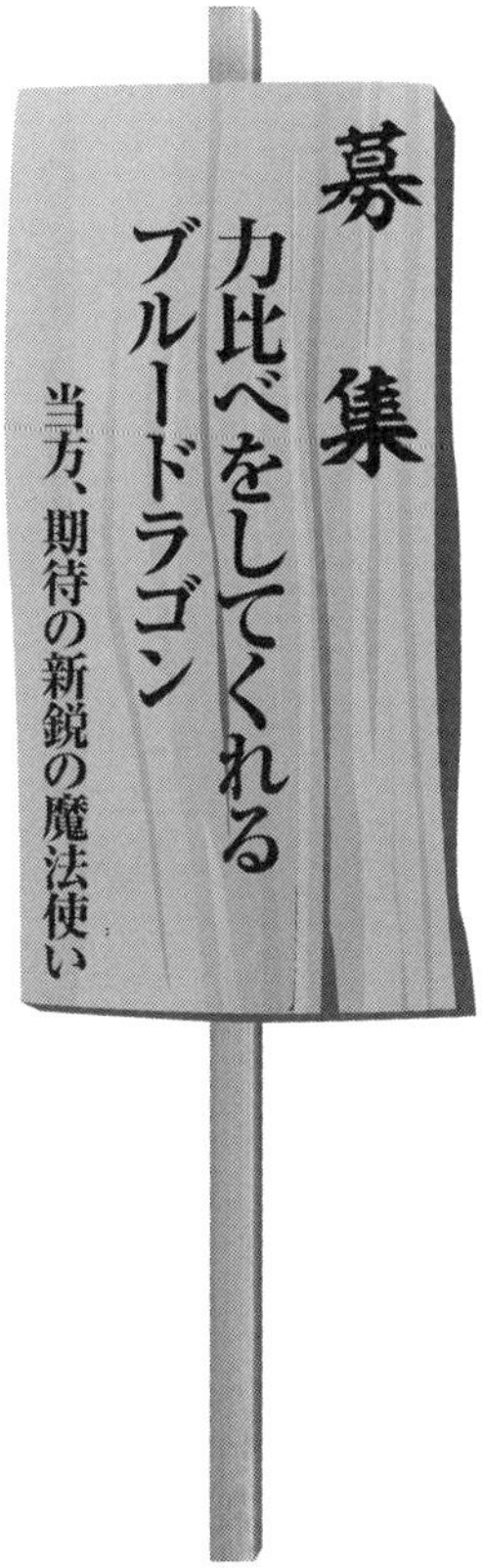
募集
力比べをしてくれる
ブルードラゴン
当方、期待の新鋭の魔法使い

「師匠、何をしてくれちゃってるんですか！」

「やっぱり、最後は実戦をやらないとダメですから。ブルードラゴンの方ってケンカは大好きなので、目ざとく立て札を見つけてやってきてくれましたね」

「いきなりドラゴンと戦うのは無茶です！　最初はまずスライムみたいに弱いモンスターとかから戦って慣れていくものじゃないんですか？」

「だって、シローナさんは手順を踏まずにやって、短期間でいい感じに魔法を覚えていったんですよ。だったら、実戦もいきなりドラゴンと戦うぐらいのほうが筋が通ってるじゃないですか」

なるほど、それもそうだ――ってなるか！

「おい、お前たち、話が長いぞ。バンテイジュー様はすぐにでも力比べをしたいんだ！」

空からドラゴンが叫んでいる。バンテイジューという名前も勝手に名乗っていた。

間違いでしたと言って帰ってくれる空気でもない。

「わかりました！　ワタシは魔法使いシローナです！」

どうせなら、強そうなはったりをかましたほうがいいか。


「アイデル辺境伯シローナです！　いざ、尋常に力比べをしましょう！」


そうワタシが言った途端、コールドブレスが上空から降《ふ》り注いできた。

「寒い、寒い！　寒すぎて痛い！」

ワタシは慌ててそのへんを走り回った。とてもじっとしていられない！

「おいおい、こんなのでキツいだなんて言ってると勝負にならないぞ。少しは骨のあるところを見せないと承知しないからな」

そんなことを言われても……。

ワタシは走りながら火の玉の魔法陣を描き、詠唱を行って、ブルードラゴンへと放った。

杖で魔法陣を描くのもずいぶん速くなったとは思う。魔法陣が多少ゆがんでいても魔法は発動する。どれぐらいゆがんでいてもいいのかということも経験則でわかっていた。

火の玉はブルードラゴンの胴体に当たったけれど、効いた感じはない。

ぽすっ。

そんな気の抜けた音がしただけだ。

「威力が弱くてたいしたことない。お前、せいぜい中級の冒険者だな。それが一人でドラゴンに勝てるわけないだろ。舐《な》めてるのかぁ？」

「しょ、しょうがないじゃないですか！　こういうのも通過儀礼なんですよ！」

またブルードラゴンはコールドブレスを吐《は》いてくる。

最初の時より激しい。猛吹雪《もうふぶき》と言っていい！　魔法で対抗する前に吹き飛ばされてしまう。

飛ばされた先にいた師匠は四角い結界のような空間に入っていた。

「それ、絶対に加勢してくれないって意志表示ですよね……」

「試験を一緒に手伝ってくれる師匠なんていませんよ。それに魔法使いには応用力が必要ですからね。でないと頭でっかちの学者と同じです。応用力がないと独立は認められませんよ」

マイペースに、いつもどおりの調子で師匠は言った。

「いえ、去る者は追わないので、試験を受けずに独立したいなら止めませんが。すべてはシローナさんの人生ですから」

「やりますよ！　そこまで言われて試験から逃げるなんてできません！」

しょうがない。試験が苦しいのはある意味当然なのだ。

ワタシは立ち上がるとすぐに杖で火柱を出す魔法陣を描く。攻撃の威力は足りなくても、コールドブレスを防ぐぐらいはできるだろう。

その発想は当たりだった。魔法陣から上がった炎の柱はほんのり温かくて、心に余裕ができた。

「今のうちに、次の炎の魔法陣を……。抜本的解決につながってないですけど……」

身を守る態勢を作らないことには、どうせ戦闘にならないのだ。

やがて、コールドブレスが完全にやんだ。これだと時間がかかるとブルードラゴン側も判断したようだ。

「やっと防御手段だけは手に入れたみたいだな。じゃあ、今度は力ずくだぜっ！」

ドラゴンが急降下してくる！

目の前の地面に大きな前足の爪《つめ》が刺さる！

「こんなの勝てるわけない！」

「『勝てるわけない』じゃないです。頭を使って、自分ができる方法でどうにかすることを考えるんです。魔法使いは魔法じゃなくて、頭で勝負するんですよ」

後ろから師匠の声が聞こえてくる。いいことを言ってるみたいだけど、本当にこんな状況から逆転する方法なんてあるのか？

もっとも、ブルードラゴンの攻撃がはずれた時、ちょっとした隙《すき》ができていたのも事実だった。

爪が地面に刺さるから、それを外すらしい。

刺さるまでいかなかったとしても、前足が地面についている状態では地上を走ることもできない。

ドラゴンが地上を走る時は、後ろ足二本で人間のように二足歩行になるからだ。

つまり、前足が地面に接地している状態では、次の攻撃に移れない。赤ん坊のよちよち歩きみたいな動作になってしまう。

「外したか。じゃあ、もう一回だな」

ブルードラゴンは再び空に浮かんで、急降下してくる。

これもワタシは必死に回避！

回避しつつ、すぐに魔法陣を描いて、火の玉を近い距離から顔にぶつける。

確実にブルードラゴンの顔に火の玉はぶつかった。

敵の攻撃が失敗した時にチャンスは来る。そういうことをワタシは本能的に理解しつつあった。

そうか、これは無理して変な魔法から覚えようとしたことと同じだ。

ああだこうだ言ってられないのだ。そうするしかないのだ。

問題があるとしたら、ブルードラゴンの体力を削れるような火の玉なんて撃てないということか。

「くそっ！　熱くてイライラするぜ！」

ブルードラゴンがこっちをにらんできた。機嫌を悪くすることには成功したけど、ダメージにはなっていない。

もっとも、大打撃を与える必要まではない。これは力比べなのだ。ブルードラゴンがもういいと思った時点で戦闘は終わる。ブルードラゴンが帰ってくれればそれでいい。

ワタシも攻撃を当てるところにまでは到達できている。

どうすればあのブルードラゴンは諦《あきら》めてくれる？　ブルードラゴンはまた上空に戻る。その時に起こる烈風だけでも寒い。とっとと熱い湯船につかりたい！

――それだ。

できるかどうかはわからないが……いや、やるしかないのだ。やらないとどうしようもない。

また、ブルードラゴンが滑空してくる。

これを回避することだけならできる！

体を思い切り前に投げ出して、ブルードラゴンの爪から逃れる！

続けざまに杖ですぐに空中浮遊の魔法陣を描く。

自分の体を魔法で浮かせる。それで――

ブルードラゴンの背中に乗る！

「なんだ？　そんなことしても無駄《むだ》だぞ！」

ブルードラゴンの言葉なんて聞いていられない。ワタシはすぐに背中の上に杖で次の魔法陣を描く。

いいな、お風呂の時に使う適温の魔法じゃないぞ。失敗した時の魔法だぞ。失敗した時のことを思い出せ、思い出せ！

魔法陣は完成した！

さあ、できたぞ！　行けっ！

魔法よ、発動しろ！

「あつっ！　あちちちちっ！　あち、あち、あちっ！」

ブルードラゴンの背中が揺れて、ワタシは転落しかけた。

逆に言えば、効いているということ！


「あなたの背中に熱湯がどんどん湧き出《で》る魔法陣を作りました！」


「な、なんだと！　ふざけるな！　無茶苦茶気持ち悪いぜ！　俺《おれ》様の皮膚がどれだけ分厚くても、ひりひりして不愉快だ！」

「戦闘なんですから、気持ち悪くさせるのは当然のことです！」

ワタシのほうもヤケクソだ。なにせ、これしか選択肢はなかった。

「今すぐ魔法陣を消せ！　消せ！」

「消してもいいですよ。ですが、この勝負、あなたの負けだと認めてください。……ああ、そこまでしなくてもいいのか。この力比べはもう終わりにすると認めてください」

勝負が終わればそれでいい。

「むっ……それは……いまいち消化不良だしな……」

えっ？　負けを認めなくていいのに、それでもちょっと渋るなんて！　どんだけ戦いたいんだ……。

「だったら、二つ目の魔法陣を背中に描くまでです。とことん嫌な気持ちになってください。慈悲はありません！」

「わかった！　もう、戦わない！　すぐに帰るから魔法陣を消せ！　消してくれ！」

そう、ブルードラゴンが情けない声で言った瞬間――

「試験終了ですね」

と師匠が言った。

ぱちぱち拍手をしながら。

ブルードラゴンが去っていくのを見守ると、ワタシはすぐさま、あの立て札のところまで行って、引き抜いた。

「よし、これでもう誰も来ない……」

「お疲れさまでした。見事にブルードラゴンを追い返しましたね」

楽しそうに師匠がやってきた。これまでで一番楽しそうに見える。

「もう、勘弁《かんべん》してください。死ぬかと思いましたよ……」

「ですが、非常事態を乗り越える練習はできてないと冒険者をやるのは難しいですよ」

そう師匠に言われて、あれ、おかしいなと思った。

「冒険者になるつもりだとしゃべったこと、ありましたっけ？」

今すぐにでも冒険者になりたいというほどの強い意志ではないけれど、職業希望欄があったら、第一志望に冒険者とは書いていただろう。単純に縁もゆかりもろくにないワタシがやれる仕事が限られているというのもあるが。

「話してくれたことはないですよ。でも、あなたの性格を見ていたらわかります。それも一人で黙々《もくもく》とやるようなタイプの冒険者です。もし、冒険者じゃないとしても、一人でやっていく仕事なら非常事態慣れはしているほうがいいでしょう？」


師匠の言葉は基本的にすべて正解だったので、ワタシは何も言い返さなかった。


「師匠、たまには、ここにも帰ってきていいですか？」

「はあ。別に帰ってきてダメというルールもありませんけれど」

「なんで、そんなにいぶかしむような言い方なんですか……？　そこは『いつでも帰ってきなさい』とか言ってくださいよ」

ワタシでもちょっと傷つくぞ。一日や二日の付き合いではないのだ。

「だって、シローナさんが強くなったのはシローナさんが勝手に強くなったからで、こちらは師匠らしきことは何もしてないですから」

そういうことだったか。師匠は少し謙遜《けんそん》の度が強いらしい。

「師匠がブルードラゴンと戦わせなかったら、おそらく冒険者としてやっていく決心もつかなかったと思います。ありがとうございます」

「でも、一度目ですぐにブルードラゴンを追い返せるとは思ってませんでしたよ」

「そこは信じておいてほしかったですが……そうですね、ワタシでもできすぎだと思いますよ」

仕方ない。いくつもの失敗を重ねて強くなるほうが普通なのだ。

普通を破れたのは一割の才能と、一割の努力と、八割の偶然のおかげか。

まっ、偶然も実力のうちと考えておこう。

◇

ブルードラゴンを追い払ったあと、ワタシはすぐに冒険者として旅に出た――というわけではなく、二週間ほど工房で勉強を続けた。

冒険者としての知識自体が浅すぎたのだ。職業柄、命懸けになることが多いし、あんまりいいかげんな気持ちでは旅立てない。

それでも、どこかで決断の時が来る。

ワタシは荷物を持って、部屋で魔導書を読んでいる師匠のところに行った。

「それでは、これで失礼いたします」

「はい、最後だしお見送りぐらいしましょうか」

師匠は玄関までついてきてくれた。さばさばと別れようと思っていたのだが、不思議なことを師匠は言ってきた。

「シローナさん、冒険者の名前は何にするか決めました？」

「えっ？　そんなもの必要ですか？　ああ、冒険者って本名でなくてもいいのか」

大半の冒険者は本名のはずだろうけど、名乗り自体は自由のはずだ。冒険者の中には本名を名乗りづらい人だっているのだろう。

ふと、ブルードラゴンと戦った時に勢いで名乗ったのを思い出した。


「アイデル辺境伯シローナにします」


「ずいぶん、偉そうな名前にするんですね」

「はい、あまり謙虚すぎるのもよくないかなと思いまして」

こうしてアイデル辺境伯シローナは師匠の工房を後にしたのだった。

……辺境伯は偉すぎるから、やっぱり辺境騎士ぐらいにしようかな。

終わり

あとがき

お久しぶりです、森田季節《もりたきせつ》です！

アニメ放送時期ということもあり、前回の巻からさほど空けずに発売です！

というわけで、アニメ関係の話題が多くなりますが、よろしくお願いします！

まず、六月三十日にアニメのブルーレイ上巻が発売されます！　なお、下巻は七月二十八日発売です！　パッケージは上・下巻ともに紅緒《べにお》先生による描き下ろしイラストです！　よかったら、ぜひお買い求めください！

さらにフラットルテ役の和氣《わき》あず未《み》さんによるアニメED「Ｖｉｅｗｔｉｆｕｌ　Ｄａｙｓ！」が六月十六日発売です！

また、今回、この十七巻と同時に、シバユウスケ先生のコミカライズ九巻も発売しております！こちらもぜひよろしくお願いいたします！

その他、多分ほかにも宣伝できることはあるかもしれないのですが、本の性質上、リアルタイムで発信できないので、詳しくは「スライム倒して３００年」の公式ツイッターアカウントをご確認ください。

さて、このあとがきを書いているのは、アニメ放送の真っただ中です。せっかくなのでアニメになって感じたことなどを書いていこうかなと思います。

まず一つ。たくさんの人が見てるんだなと実感しました。

あまりにも当たり前なことを言ってると自分でも思いますが、実感以上でした。とくにアニメ直前はずっと読んでいるという声をSNSで目にすることが多く、こんなに読者さんが隠れていたのだなと。別に読者の方が潜伏しているわけじゃないんですが。何かのきっかけがないと「自分はこれを読んでる」なんて発信しないんですよね。そのため、自分が見えてなかった読者の方が一気に可視化されるという現象が起きたんです。

もちろんうれしいのだけど、規模が大きすぎて心が不安定になるぞ！　という体験ができました。アニメ化といったことがないとおそらく永久に体験できないことだったので、ありがたいです！

次に。地上波だからこそ届く人がいるのだなと知りました。

シンプルに言うと年齢が一桁の視聴者がけっこういるなと。お子さんのファンアートを親御さんがアップしたりとか、うちの子がじぃ〜っとテレビを見ているといったつぶやきを目撃したりとか、本当に稀有《けう》な体験でした。

これはメディアの違いなのでどうしようもないですが、僕が何を書いても小説という媒体《ばいたい》だけでは幼稚園《ようちえん》の読者が増えるということはなかったと思います。そういう限界を地上波放送がぶち破ったわけで、まだまだテレビって影響力がデカいなと感じております。

最後に。長らく連絡取れてなかった人とかから、祝福の連絡が来ました。

長く生きてると、どうしたって転職や引っ越しによって疎遠《そえん》になる人も出てきます。で、疎遠になったら、何の前触れもなく「久しぶり〜」とは言えないものです。僕も音信不通になってしまった人がいるのですが、そういった人がアニメの放送をきっかけに連絡してきてくれたりしました。アニメ一話放送後に、電話で長話をしました。

多分、親が実家から視聴しているとか、ファンアートの数が増えたとか、まだまだいろいろありますが……差し当ってこのあたりにしておきます。本音を言うと、お色気要素が強い作品のアニメ化ではなくてよかったなと思っています。

本作はいわゆる感動巨編でないですし（そもそも連作短編形式ですし）、読んだ人の心に一生残るグロい展開があるようなものでもない、のんびりした話です。デビュー当初の僕は感動巨編やグロい展開みたいな人の心に傷跡を残すものを作ろうとして躍起《やっき》になっていましたし、それだけが正しいと思い込んでる節《ふし》がありました。一種の若気の至《いた》りです。

ただ、のんびりした話だからこそ、できることもあるはずです。個人的には、ラーメンにおまけでついてくる味玉《あじたま》のような、小さな幸せを読者の方に提供できる作品でありたいなと思っています。

これからもおいしい味玉を作っていきますので、ぜひご賞味ください。

あとがき最後に恒例の謝辞を。まず、本作のイラストを今回も描いてくださった紅緒先生、ありがとうございます！　十七巻ってなかなかない数字ですよね。十八巻でもよろしくお願いします！

メディアミックスに携《たずさ》わってくださっているすべての方々も、ありがとうございます！　コミカライズ作画のシバユウスケ先生、「レッドドラゴン女学院」作画の羊箱《ひつじばこ》先生、今後ともよろしくお願いいたします！

そしてアニメに携わってくださっている方々、視聴者の方々にも謝辞を。数が多すぎて個別に名前を出しては言えませんが、とにかくありがたいです！

では次の巻でお会いしましょう！

森田季節

GAノベル

スライム倒して300年、知らないうちにレベルMAXになってました17

2021年6月30日　初版第一刷発行

著者　森田季節

発行人　小川 淳

発行所　SBクリエイティブ株式会社
〒106-0032　東京都港区六本木2-4-5
03-5549-1201　03-5549-1167（編集）

装丁　AFTERGLOW

印刷・製本　中央精版印刷株式会社

ISBN978-4-8156-1090-6
Printed in Japan

ファンレター、作品のご感想をお待ちしております。

〒106-0032　東京都港区六本木 2-4-5
SBクリエイティブ株式会社
GA文庫編集部 気付

「森田季節先生」係
「紅緒先生」係

本書に関するご意見・ご感想は
下のQRコードよりお寄せください。
※アクセスの際に発生する通信費等はご負担ください。

https://ga.sbcr.jp/

試読版は
こちら!

ラブコメ嫌いの俺が最高のヒロインにオトされるまで

著：なめこ印　画：餡こたく

GA文庫

「写真部に入部する代わりに……高橋先輩に私を撮って欲しいんです」

　廃部の危機を迎えていた写真部に現れた学校一の美少女水澄さな。

　雑誌モデルの彼女が素人の俺に撮って欲しいなんて……何が目的だ？

「家に遊びに行っていいですか？」「一緒にお出かけしましょう」「私たちカップルに見えるみたいですよ」　しかもなんかやたらぐいぐいくるし……いや、こんなの絶対何かウラがあるに決まってる！

「先輩ってマジで疑り深いですね」

　……え？　マジなの？　い、いやいや騙されないからな！　主人公敗北確定のラブコメ開幕！

輝く場所はここにある!!